L'INTÉGRALE
6

CHARLIER # BLUEBERRY GIRAUD

DARGAUD

PARIS BARCELONE BRUXELLES HONG KONG LAUSANNE LONDRES MONTRÉAL NEW YORK SHANGHAI

Cher lecteur,

Ce sixième tome de l'intégrale *Blueberry*, prévue
en 9 volumes, reprend les pages de la série qui ont été prépubliées
dans *Pilote, Nouveau Tintin, Super As* et *Métal Hurlant* entre le 5 avril 1973
et le 7 octobre 1980. Les couleurs sont celles des albums qui avaient été validées
ou refaites par Jean Giraud. Lors de la première édition en album de *Nez Cassé*
en 1980, la première case de la planche 1 avait été recadrée par manque de place.
Nous lui avons ici rendu son découpage d'origine. Pour retrouver un peu de l'esprit
feuilletonnant des journaux, où les pages étaient le plus souvent publiées par deux
et en vis-à-vis, nous avons démarré chaque histoire en page de gauche.

Nous vous souhaitons une merveilleuse lecture de l'une
des œuvres les plus mythiques de la bande dessinée.

L'éditeur tient tout particulièrement à remercier
Isabelle Giraud et Philippe Charlier
pour leur collaboration et leur soutien.

———————————————

LE HORS-LA-LOI a été prépublié dans *Pilote Hebdo*, sous le titre « L'Outlaw »
du n° 700 du 5 avril 1973 au n° 720 du 23 août 1973.
Première édition en album en 1974 chez Dargaud.

ANGEL FACE a été prépublié dans *Nouveau Tintin*,
du n° 1 du 16 septembre 1975 au n° 9 du 11 novembre 1975.
Première édition en album en 1975 chez Dargaud.

NEZ CASSÉ a été prépublié dans *Super As*,
du n° 1 du 13 février 1979 au n° 10 du 17 avril 1979,
et dans *Métal Hurlant*, du n° 38 du 1er février 1979 au n° 40 du 1er avril 1979.
Première édition en album en 1980 chez Dargaud.

LA LONGUE MARCHE a été prépublié dans *Super As*,
du n° 85 du 23 septembre 1980 au n° 87 du 7 octobre 1980.
Première édition en album en 1980 chez Fleurus et EDI 3 BD.

La fin de *Pilote* et la gestation de Mœbius

par Stéphane Beaujean et Vladimir Lecointre

L'année 1973 marque un virage important dans la carrière des auteurs de *Blueberry*. Jean-Michel Charlier vient de quitter ses fonctions de directeur littéraire au sein des éditions Dargaud. Le malaise gronde avec la direction depuis la crise éditoriale de 1968. À l'époque, la jeune génération des contributeurs du journal *Pilote* se rebelle contre la rédaction en chef tenue par René Goscinny. Depuis, l'ambiance n'est plus la même et elle se dégrade d'autant que les nouveaux locaux de Neuilly-sur-Seine, où la rédaction et les éditions Dargaud ont élu domicile fin 1968, ne sont plus aussi conviviaux. La ligne éditoriale du magazine oblique également de plus en plus vers un lectorat adulte, sous l'impulsion de Goscinny. Ce changement de politique mécontente Jean-Michel Charlier, très attaché à l'idée que le journal doit avant tout s'adresser aux jeunes lecteurs. Enfin, les frictions avec la direction générale autour de la politique des publications en albums usent de plus en plus le directeur littéraire des éditions Dargaud, qui se bat contre le départ en série des auteurs chez la concurrence. Fin 1972, une énième crise éditoriale éclate. C'est la goutte d'eau qui fait déborder le vase, la rupture est consommée après 13 ans de bons et loyaux services. Ce qui semble apaiser Charlier, c'est la perspective de pouvoir enfin s'engager à plein temps dans la création d'émissions documentaires pour la télévision. Ce support de diffusion l'attire de plus en plus depuis qu'il s'est investi, en 1967, dans l'adaptation télévisée pour l'ORTF de sa bande dessinée *Tanguy et Laverdure*, pour l'occasion rebaptisée *Les Chevaliers du ciel*. En démissionnant, il peut consacrer une grande partie de son temps à cette nouvelle passion. Il se lance, entre autres projets, dans la réalisation d'une série de documentaires pour la troisième chaîne, intitulée *Les Dossiers noirs*. Chacun des épisodes s'attarde sur un drame politique du XXᵉ siècle, comme le meurtre de Martin Luther King ou celui de John Kennedy. Happé par cette nouvelle activité, pour laquelle il apprend peu à peu le métier de réalisateur, Jean-Michel Charlier

s'efforce de poursuivre son travail de scénariste de bandes dessinées sans pouvoir y consacrer autant de temps qu'avant – d'autant que les problèmes contractuels avec Dargaud ne l'y encouragent pas.

Constatant que son scénariste attitré n'est plus aussi réactif, le dessinateur de *Blueberry* en profite pour assouvir sa soif de recherche esthétique. Il commence à amorcer le dédoublement de Jean Giraud en Mœbius. Bien que signées « Gir » et publiées dans le *Pilote* n° 688 du 11 janvier 1973, les 7 planches de *La Déviation* sont déjà caractéristiques du futur style Mœbius, tant par leur traitement graphique que par le sujet. La rédaction du journal, sans doute consciente de cette rupture, avertit le lecteur dès la couverture : « Un voyage complètement "dingue" avec Giraud. » C'est dans ce contexte compliqué, qui préfigure la naissance du double Mœbius et l'éloignement de Jean-Michel Charlier des éditions Dargaud, qu'est publié, dans les *Pilote* nᵒˢ 700 à 720 (du 5 avril au 23 août 1973), sous le titre *L'Outlaw*, le récit du *Hors-la-loi*, seizième tome de *Blueberry*.

Le complot contre Grant

Le Hors-la-loi s'inscrit dans la suite du « cycle du trésor des Confédérés », et ouvre sur un diptyque déterminant dans la vie du héros : celui du « complot contre Grant ». Depuis *Chihuahua Pearl*, Blueberry a en effet beaucoup changé. L'humain a pris le pas sur la figure du justicier. La déchéance contamine le héros à mesure qu'il s'engouffre dans l'intrigue du trésor sudiste et son allure change. Blueberry se montre de plus en plus crasseux, ce qui permet à Giraud de peaufiner sa technique du hachurage pour sculpter les visages et le relief des plis des vêtements. De même, le héros perd ici définitivement l'initiative de l'action. Jusqu'alors, Blueberry s'était montré volontaire, désobéissant à sa hiérarchie quand il le jugeait nécessaire et multipliant les initiatives personnelles pour tenter d'imposer son point de vue. Mais dès l'ouverture de *Chihuahua Pearl*, le paradigme change : Blueberry plie devant l'autorité, contre sa volonté. Victime d'un chantage, il se voit imposer sa mission. Dès lors, sa situation personnelle ne cesse de se dégrader. Blueberry accumule étonnamment les erreurs de jugement et ce n'est plus qu'un homme aux abois lorsque s'ouvre *Le Hors-la-Loi*. Le lieutenant est, à ce moment-là, le jouet du destin. Il s'en remet d'ailleurs à la providence pour survivre, tel un pion égaré au cœur d'un complot qui le dépasse. Pour la première fois, Charlier fait sortir la série du registre codifié du western et dévie vers le thriller paranoïaque. Là encore, peut-être faut-il voir l'influence de son travail de documentariste sur son écriture de bande dessinée. Dans l'ouvrage *Autour du scénario*, le scénariste déclare : « Un personnage qui n'évolue pas dans les limites du caractère qu'on lui a donné et du contexte dans lequel il se trouve est un personnage faux ». Plus que jamais, le scénariste teste sur son héros, avec le diptyque du complot contre le président Grant, les limites de sa théorie.

EN DEHORS DES CADRES

Sur le plan du dessin, Giraud exprimera rétrospectivement quelques réserves sur *Le Hors-la-loi*. Il est vrai que sa mise en scène s'y fait moins monumentale. Un nombre plus important de gros plans vient alléger la complexité du dessin et l'audace des cadrages. La création paie sans doute un peu les conséquences des problèmes rencontrés par les auteurs dans leur vie privée et professionnelle. En revanche, cet épisode montre indéniablement des traces d'expérimentations et de renouvellement qui font écho à la création du double Mœbius. Dès la planche 3A apparaît dans la même case un étonnant fondu enchaîné de séquences successives, avec des variations de plans, pour un effet assimilable à un montage cinématographique. Plus loin, le traitement inhabituel et presque comique d'un train en ombres chinoises (9A) surprend. Le dessinateur n'hésite également plus à briser les limites des cases (17B), ou à scinder une vue d'ensemble en deux cases et en deux temps successifs (19A). Plus discrets, mais non moins significatifs, sont les fonds quasi abstraits des cases 4 et 5 de la planche 20A, qui expriment le désarroi du fugitif. Un paysage magnifiant la nature (20B) et le surgissement d'un décor fantastique tout droit sorti d'un récit d'horreur gothique (22A) indiquent eux aussi le désir de Giraud de sortir plus que jamais du cadre circonscrit de la réalité sèche. Bientôt, c'est le double Mœbius qui poursuivra ces

recherches avec *Arzach*, réinterprétant les divers motifs présents dans le réalisme de Gir. Les canyons naturalistes de l'Ouest deviendront des formes abstraites de pierre, l'Indien se transformera en gardien mystique, et le cheval en une créature volante que l'on peut chevaucher. Mais cette recherche esthétique germe déjà dans *Le Hors-la-loi*, comme en atteste également la couverture peinte au cours de l'été 1974, qui accorde une place importante à un amas rocheux très mœbiusien. Ces rochers sont bien plus proches de l'univers d'*Arzach* que ceux dessinés pour la couverture du *Spectre aux balles d'or*, deux ans auparavant, ou même que ceux, bien plus tard, d'*Ombres sur Tombstone*, en 1997.

L'évolution graphique la plus importante du *Hors-la-Loi* apparaît cependant dans les dernières pages, et s'inscrit dans la suite logique de la rupture esthétique entamée avec le diptyque *La Mine de l'Allemand perdu* et *Le Spectre aux balles d'or*. Depuis ces deux volumes, l'encrage de Gir a radicalement changé et évolue constamment. Auparavant, il reposait sur la grammaire de Jijé. La parenté était surtout reconnaissable à l'emploi de deux techniques : des masses de noir appliquées au pinceau, onctueuses et charnelles, qui définissent et localisent les ombres, et une mise en scène classique qui repose sur le modèle du western fordien. Dans les premiers *Blueberry*, Giraud s'inscrit d'ailleurs tellement dans cet héritage qu'il est pratiquement impossible de distinguer lequel des deux dessine dans *Le Cavalier perdu*, alors que Jijé assure quelques planches en l'absence de son ancien élève. Mais à partir de *La Mine de l'Allemand perdu*, en 1969, Giraud se libère complètement des systématismes empruntés à Jijé et, dans une moindre mesure, à la bande dessinée américaine. Commence alors une longue recherche au cours de laquelle le dessinateur tâtonne pour se forger son propre langage. Il débute en scindant les ombres pour sculpter précisément les volumes à l'aide de petites hachures à la plume et au pinceau. Les ombres ne sont donc plus traitées comme des masses noires et uniformes mais comme des zones de dégradés où se mêlent avec plus de nuances les rapports d'ombres et de lumières. Hommes et décors sont désormais traités dans le même style, très minéral. Quant à la mise en scène, naguère classique et construite sur l'antagonisme des personnages, elle flatte désormais une autre confrontation, celle de l'homme et de l'environnement, qu'une organisation des plans de plus en plus complexe vient magnifier. Cette recherche d'étagement des plans, qui vise à créer l'effet d'une profondeur de champ,

Couverture du Hors-la-loi : des rochers très mœbiusiens.

n'a pas totalement abouti lorsque commence *Le Hors-la-loi*. Les volumes précédents montrent d'ailleurs que Giraud se débat avec de nombreuses expériences de rehauts de hachures, alternant pinceau et plume. L'auteur ne se fixe pas, variant d'un album à l'autre. Mais dans les toutes dernières pages du *Hors-la-loi*, Giraud modèle pour la première fois la profondeur de champ, dans quelques-unes de ses cases, avec une alternance de toutes petites hachures et de points, caractéristique de sa recherche chez Mœbius. L'émergence tardive de ce « hachurage pointilliste », comme l'appellera lui-même Giraud, marque l'aboutissement temporaire d'un système graphique qui inondera bientôt le dessin d'*Angel Face* comme les nouvelles de science-fiction. Le dialogue entre les deux identités du dessinateur ne fait que commencer. La parution en album de *Ballade pour un cercueil*, en 1973, bien que reprenant une aventure dessinée avant la transmutation de Giraud, porte également des traces indéniables de cette contamination par Mœbius. Sans doute pour marquer le coup sur un album un peu spécial, plus épais en raison de son mémorable dossier – lequel aura fait croire à de nombreux lecteurs que Blueberry était un personnage historique –, les pages de garde du livre sont différentes. Cette fois-ci, ce n'est pas le cavalier inspiré de la photo de Mézières qui ouvre et ferme l'album. C'est un portrait de Blueberry jeune, avec casquette militaire et Remington, dont le modelage au trait et au point, sans masses de noirs, semble indubitablement issu de la main d'un nouvel artiste.

ANGEL FACE

Le départ de Charlier des éditions Dargaud ne signe pas pour autant la fin de *Blueberry*. En revanche, la régularité de la parution s'effondre, et la série restera très longtemps perturbée par des problèmes contractuels. Pour la première fois, la suite tarde à venir. *Angel Face* n'est publié que 3 ans plus tard, fin 1975 – qui plus est dans un autre journal. Jean Giraud, qui reconstitue partiellement l'époque dans ses entretiens avec Numa Sadoul, se souvient que la création du 17e volume de la série commence pourtant dans la foulée du *Hors-la-loi*, en 1972 ou 1973. Or l'écriture reste en pause toute l'année 1974 et une partie de 1975, par manque de perspective pour la publication. Encore sous contrat mais en conflit avec Dargaud, Jean-Michel Charlier cherche probablement à retarder l'échéance

Dessin de page de garde de Ballade pour un cercueil, *ici mis en couleurs par Jean Giraud.*

dans l'attente de récupérer ses droits. Avec sa femme, embauchée en tant que scripte et documentaliste, le scénariste en profite pour partir s'installer quelques mois aux États-Unis afin de poursuivre ses enquêtes pour la télévision.

Resté en France, Giraud poursuit lui ses recherches esthétiques en se lançant dans l'écriture de la nouvelle *L'homme est-il bon ?*, publiée dans le *Pilote* n° 744 du 7 février 1974. Il enchaîne avec *Le Bandard fou*, en 1974, aux éditions du Fromage, maison créée par les « dissidents » de *Pilote*, Claire Bretécher, Gotlib et Nikita Mandryka. Ces deux nouvelles dessinées soulignent la défiance grandissante de Giraud vis-à-vis de la figure classique du héros, et une volonté nette de se démarquer des chemins classiques de l'aventure.

De *Pilote* à *Métal Hurlant*

Mais la version hebdomadaire de *Pilote* disparaît bientôt, non sans avoir permis l'éclosion de Mœbius. L'exploration de cette nouvelle identité se déroule désormais dans un tout nouveau journal : *Métal Hurlant*, apparu en janvier 1975. La métamorphose se confirme également quelques mois plus tard avec la rencontre d'Alejandro Jodorowsky, qui embarque immédiatement Giraud aux États-Unis pour plancher sur un projet d'adaptation cinématographique de la saga de *Dune* de Frank Herbert. Lorsque la prépublication d'*Angel Face* débute enfin, en septembre 1975, dans le premier numéro d'une nouvelle formule du journal *Tintin*, les lecteurs découvrent un dessinateur en pleine transformation. Signe de ce vent nouveau et d'une évidente volonté d'innover, *Angel Face* est le premier épisode de *Blueberry* où Giraud travaille, non pas sur des demi-planches, mais sur des feuilles complètes non coupées. Le scénario est lui aussi particulièrement original, puisque Charlier confine le déroulement sur 24 heures et dans le huis-clos d'une ville dont le héros s'échappe tragiquement dans les trois dernières planches. Giraud semble intervenir sur l'écriture un peu plus souvent, comme en témoignent les dialogues, plus rares que dans les précédentes histoires. À distance, Charlier poursuit en effet l'écriture de bandes dessinées mais manque de temps pour s'y consacrer pleinement. En revanche, comme il le confie au magazine *Schtroumpf* en 1978, ses scénarios s'inspirent de plus en plus de son travail pour la télévision : « Pendant ce temps-là, j'ai continué à écrire mes bandes dessinées. Mes reportages télévisés m'ont fourni énormément de sujets, d'histoires et de documentation. » L'intrigue d'*Angel Face* en atteste, étant largement inspirée

Blueberry en couverture du journal Nouveau Tintin *n° 6 du 21 octobre 1975, pour la prépublication d'*Angel Face.

par le meurtre de John Kennedy, sujet sur lequel l'auteur travaille autour de 1975 pour un épisode de ses fameux *Dossiers noirs* qui sera diffusé 3 ans plus tard. Lassé de ne recevoir aucune nouvelle à cause d'une supposée grève des PTT américaines, Giraud prend l'initiative d'écrire seul les planches 13 à 25. Charlier, coincé à Acapulco, a de son côté déjà scénarisé jusqu'à la planche 16, ainsi qu'en témoignent ses archives. Le sauvetage de la vieille dame coincée au premier étage d'un immeuble en flammes par un lieutenant déguisé en pompier devait durer plus longtemps et la fuite du cow-boy, rapidement démasqué, devait être écourtée et meurtrière. Mais Giraud, ignorant tout des plans de Charlier, préfère évacuer en une page l'épisode du sauvetage pour développer une scène de fuite beaucoup plus rocambolesque et satirique, le fugitif profitant de son déguisement pour échapper à ses poursuivants.

Cette scène étonnamment longue pour une improvisation préfigure tout à fait le travail que le conteur effectuera plus tard sur les scénarios de *Jim Cutlass* ou de *Mister Blueberry*.

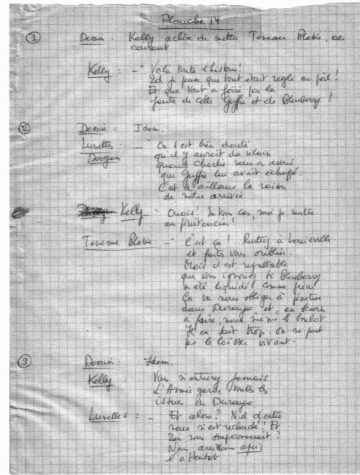
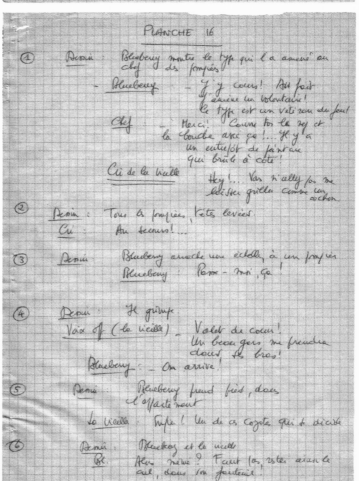

Ci-dessus, pages de scénarios manuscrites de Jean-Michel Charlier pour les planches 13 à 16 d'Angel Face…

... et ici, les mêmes planches réalisées par Jean Giraud.

Annonce de la sortie de l'album Angel Face, *parue dans* Pilote mensuel n° 17 *d'octobre 1975.*

limites psychologiques du héros à sa situation et à son environnement. Le dessin de Giraud, empruntant à Mœbius la conjugaison hachures et points, se structure pour aboutir à un système graphique épatant. La plume cisèle un environnement urbain dense, une ville dont Blueberry peine à s'extraire, tandis que le pinceau s'attache à nuancer le modelé des matières et des peaux. L'album *Angel Face* est réellement unique, et marque une forme d'acmé de la période dite de « grande floraison » chez Giraud/Mœbius. Sur le plan du scénario, l'unité de temps et de lieu est presque atteinte, un challenge dans le registre du western. Pourtant, à l'issue de la conclusion, les deux auteurs annoncent leur envie de faire une pause. La télévision fascine toujours autant Charlier. Quant à Giraud, entre l'exploration des potentialités créatives de son double Mœbius et ses premières incursions dans le domaine du cinéma, son esprit est tourné ailleurs. Blueberry sera donc, à la fin de l'aventure, laissé pour mort. La série pourrait s'interrompre ici. La dernière case porte d'ailleurs le mot « Fin », et non « Fin de l'épisode ». L'absence d'annonce d'une suite à venir ne manque d'ailleurs pas d'inquiéter les lecteurs.

LA RÉDEMPTION DU HÉROS OU LE CYCLE DES INDIENS

Toujours bloqués à cause de problèmes contractuels, Giraud et Charlier attendent pour reprendre *Blueberry*. Comme le scénariste le confie dans le numéro de *Schtroumpf* qui lui est consacré en 1978 : « Il y a *Blueberry*, que nous voulons reprendre, mais il y a encore quelques petits problèmes de contrats à résoudre. » Dans la même interview, Charlier avoue cependant qu'il leur tarde de reprendre l'écriture. C'est durant cette période de conflit juridique que les deux auteurs donnent naissance, sous l'impulsion de l'éditeur Guy Vidal, à un nouveau héros, Jim Cutlass, pour un hors-série western de *Pilote* (juin 1976). Charlier, qui a fait des études de droit, prend conscience à la relecture de son contrat qu'il n'est tenu à aucune échéance concernant *Blueberry*. Il peut ainsi laisser la série en suspend autant de temps qu'il le souhaite… Le temps de retrouver l'inspiration, prétexte-t-il auprès de Georges Dargaud qui s'impatiente. En attendant, les deux auteurs développent un nouveau personnage. Le premier chapitre de ses aventures, *Mississippi River*, est dessiné dans un style jeté qui évoque les albums de *La Jeunesse de Blueberry*, publiés dans les *super pocket Pilote* entre 1968 et 1970. La taille d'exécution des planches est toutefois sensiblement plus grande,

Son dessin emprunte d'ailleurs parfois lui aussi les voies de la caricature. Le jeu de mots sur la « tarte à la myrtille », les affiches à son effigie que le héros est amené à coller, une certaine circularité de son parcours, sont autant de signes détonants qui montrent que le dessinateur prend de plus en plus de libertés, sous la bienveillance de Charlier, en même temps qu'il affermit l'emprise de sa personnalité sur le personnage. Charlier, pris de court, posera les dialogues a posteriori sur les planches scannées et ne manquera pas, en conclusion de l'épisode, de faire quelques commentaires sur les incohérences : « cette journée devient interminable ! », « les enfants devraient être terrifiés par un type qui vient d'abattre deux hommes », « les coups de feu auraient dû attirer du monde », « la première réaction de Blueberry devrait être de fuir », etc.

Alors que *Métal Hurlant* est en plein essor, les pages de *Blueberry* conjuguent cet étonnant humour à une violence exacerbée, avec des fusillades nombreuses et des morts représentés d'une manière très graphique. Blueberry abat même deux ennemi par surprise (planches 26 et 27), preuve que Charlier pousse dans ses retranchements les

Giraud dessinant chaque bande sur une feuille séparée. Devant ce format, le style de Mœbius ressurgit rapidement et se fait fortement sentir à partir de la planche 13. Sans doute dans l'expectative quant à l'avenir de leur série principale, Charlier et Giraud mettent un second fer au feu et donnent une longue suite à ce premier chapitre, avec comme destination d'accueil la nouvelle maison de Mœbius, Les Humanoïdes Associés. Avant d'être un des premiers albums de la collection Eldorado, *Mississippi River* est prépublié en 1979 dans *Métal Hurlant* (nos 44 à 46), revue où un fameux lieutenant de cavalerie a déjà trouvé refuge au début de la même année. Il n'est d'ailleurs pas interdit de se demander si les auteurs n'ont pas ajouté une quarantaine de planches au premier chapitre de *Cutlass* parce qu'ils ignorent encore s'ils peuvent récupérer les droits de leur série phare. C'est d'ailleurs probablement parce que Charlier manifeste le désir de continuer à écrire du western qu'ils installent cette nouvelle série dans la revue des Humanos. La présence de Charlier dans *Métal Hurlant*, compte tenu de l'histoire de ce magazine qui se voulait révolutionnaire, ne manque pas de saveur. Le vieux scénariste semble d'ailleurs ne pas résister à l'envie de tester la liberté du journal, puisque son *Mississippi River* se montre bien plus sexué que *Fort Navajo*. Quant à Georges Dargaud, ayant compris qu'il n'avait aucun intérêt à perdurer dans sa volonté de passer par les tribunaux, il se résout à un accord à l'amiable avec les auteurs afin qu'ils puissent partir. Quoi qu'il en soit, Blueberry et Cutlass ont beaucoup en commun : même origine géographique, même trahison de leur camp, même goût pour le poker. La vraie différence tient au thème du retour au pays natal. Mais Giraud, alors qu'il peut enfin renouer avec son cavalier préféré, se trouve déjà trop pris par ses autres activités, et il abandonne le personnage.

TSI-NA-PAH

Les lecteurs ont en effet dû attendre le 1er février 1979 pour voir Blueberry revenir avec *Nez Cassé*, dans le n° 38 de *Métal Hurlant*. En Belgique, la publication commence deux semaines plus tard, le 13 février 1979, dans *Super As* n° 1. *Angel Face* s'était conclu dans le *Nouveau Tintin* n° 9 du 11 novembre 1975. Plus de 3 années séparent les deux aventures, et Charlier a alors la très bonne idée de glisser une ellipse dans le flux de son feuilleton. Le temps s'est écoulé pour les protagonistes, même si le scénariste s'emmêle un peu les pinceaux sur la durée de cette vacance : on évoque

un peu plus d'une année à la planche 13A, alors qu'en planche 40A, Blueberry fait mention de deux années. Quoi qu'il en soit Blueberry ressurgit, vivant, très loin de son environnement habituel, chez les Apaches. Considéré comme un hors-la-loi, le déchu lieutenant ne peut trouver refuge qu'auprès de parias comme lui. Or, en réintégrant une structure sociale, celle de la tribu, il renoue avec le statut de héros qu'il avait perdu en quittant l'armée. Les mésaventures du complot contre Grant ont prouvé que Blueberry était désemparé lorsqu'il n'appartenait pas à une communauté.

Ainsi s'ouvre le « cycle des Indiens ». Un cycle particulièrement dense et complexe du point de vue de la construction scénaristique. Comme à son habitude, Jean-Michel Charlier part d'une base historique solide. Sauf qu'ici, elle ne constitue pas uniquement le motif de départ. Charlier imbrique nombre de faits qui se sont déroulés dans des lieux et à des moments différents. Parfois, il semble même manquer de rigueur. Cochise et Vittorio ont par exemple bel et bien existé, mais Charlier les décrit tantôt comme des Apaches, tantôt comme des Navajos. Les deux Indiens sont bien évidemment des

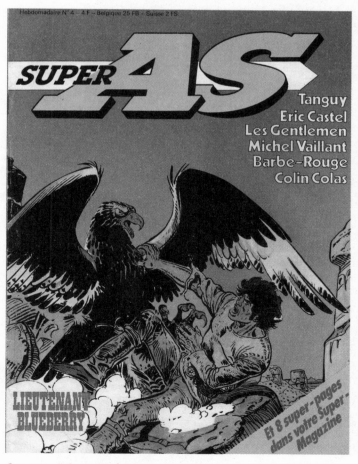

Couverture du Super As n° 4 du 6 mars 1979, pour la prépublication de Nez Cassé.

Le retour de Blueberry dans Nez Cassé, annoncé en grande pompe dans le Métal Hurlant n° 38 de février 1979.

Apaches, comme Charlier le mentionnait déjà dans *Fort Navajo*. Quelques inexactitudes historiques émaillent également le récit, comme la mort de Cochise survenue 10 ans plus tard dans la réalité, ce qui rend impossible la participation du chef Apache à cet exode forcé de 2 400 Navajos en 1864, appelé « la Longue Marche ». On pourrait évidemment s'amuser à pointer tous les écarts que prend Jean-Michel Charlier avec la géographie et l'histoire, car ils sont, dans ce cycle, assez nombreux. Mais ce serait oublier que le monde de Blueberry, à l'image du genre cinématographique dont il est issu, n'a pas vocation à se superposer exactement à la réalité historique. Le scénariste puise dans un matériau pour donner de la profondeur et de la crédibilité à ce qui est avant tout un récit d'aventures, et non pas un traité d'histoire.

GRAVÉES SUR CUIVRE

Graphiquement, jamais dans la série Giraud n'aura ciselé avec tant de précision les volumes, les personnages et l'environnement. Les matières semblent extrêmement denses et les formes sont nettement délimitées, comme dans les pages les plus travaillées du *Garage hermétique*, que Mœbius a fournies à *Métal Hurlant* durant la vacance du lieutenant. Dans ses entretiens avec Numa Sadoul, Giraud confesse d'ailleurs que *Nez Cassé* compte parmi les albums les plus satisfaisants de sa carrière. Il explique par ailleurs, pour décrire l'exigence particulière de son encrage sur ce volume, que s'il avait continué dans cette voie, il lui aurait fallu graver des plaques de cuivre. L'état d'épuisement de Blueberry à la fin de l'album, dans cette dernière case où il s'adosse au mur en fermant les yeux, pourrait tout à fait se lire comme un écho de l'état du dessinateur après une telle prouesse. Dès lors, c'est tout l'album qui peut s'envisager comme un défi que s'est lancé le dessinateur, risqué, mais peut-être aussi vain que celui de Blueberry s'attaquant à l'aigle.

La première case de l'épisode telle qu'elle fut publiée dans la presse, un magnifique plan d'ensemble, atteste bien de cette envie du dessinateur d'en découdre dès la première image en faisant étalage de sa maîtrise, affinée et trempée aux visions d'un Mœbius désormais épanoui. Cette case d'ouverture qui occupe une

Ci-dessus : planche 1 de Nez Cassé, telle que parue dans Super As n° 1 du 13 février 1979.

Et telle que parue dans l'édition originale en 1980 chez Dargaud. La première case a été recadrée pour laisser la place aux mentions copyright et achevé d'imprimer.

Illustration incongrue de Gir pour un 45-tours de Marcel Dadi, en 1973.

grande demi-planche s'avance comme un manifeste. Malheureusement, ce somptueux paysage fut amputé d'un bon tiers lors de sa publication en album aux éditions Dargaud à cause d'un problème de pagination. Heureusement, cette présente intégrale vient réparer l'affront.

La Longue Marche

Prépublié rapidement à la suite de *Nez Cassé* dans les *Super As* nᵒˢ 67 à 87 (du 3 juin au 7 octobre 1980), *La Longue Marche* est un épisode où chacun des auteurs fait preuve d'une plus grande liberté par rapport aux conventions qu'ils avaient eux-mêmes établies. Jean-Michel Charlier cherche avec le personnage de Chini à poursuivre un travail commencé avec Chihuahua Pearl : la revalorisation des personnages féminins, quelque peu sous-exploités jusqu'alors. Comme sa consœur blonde, la fille de Cochise lutte pour échapper à son destin avec une obstination touchante. Mais à la différence de l'entraîneuse, Chini n'est pas mue par son égoïsme, elle lutte pour son peuple, pour les idées de son père et pour la défense de Tsi-Na-Pah. Depuis le précédent épisode, pour la première fois, l'intrigue a pris une dimension sentimentale et le lecteur a pu voir l'ancien lieutenant faire la cour à une femme, avec toute la maladresse de celui qui n'est guère rodé à l'exercice. L'habileté du scénariste entremêle brillamment cette intrigue amoureuse avec l'action principale et sert

d'aiguillon à la rivalité de Blueberry avec Vittorio, laquelle n'aurait sinon été que politique. Elle montre aussi la proximité du héros avec les Amérindiens puisque Blueberry semble dans ce contexte prêt à fonder un foyer – un désir de sédentarisation jusqu'alors indécelable chez le héros. Cette situation s'avère d'autant plus crédible que la fausse biographie imaginée par Charlier dans *Ballade pour un cercueil* annonce le mariage du lieutenant avec une Indienne. Ce vœu ne sera pourtant jamais exaucé. À cette époque, le mariage ne semble pas être une affaire solide dans la tête du scénariste, puisqu'il pense encore que son lieutenant rentrera bientôt sagement dans les rangs d'une armée américaine qui ne lui pardonnera jamais d'avoir aidé une tribu indienne, ainsi que Charlier le confie dans *L'Univers de Gir*, publié en 1986 chez Dargaud. Le destin du héros, à ce moment, apparaît rétrospectivement encore bien incertain.

Sérénité artistique

Le dessin, lui, évolue encore. Après le maniérisme impressionnant du précédent volume, proche de la gravure, Gir cesse de griffer la page, il ne bataille plus avec le papier à coups de plume et de pinceau. Certes, l'encrage est toujours dense et le modelé riche, mais la main du dessinateur semble glisser avec souplesse et vivacité et, miracle, elle tombe presque toujours juste ! La plume retrouve sa place, dans les textures des paysages, pour laisser à nouveau dominer le trait de pinceau. L'ouverture dans la neige participe certes à ce sentiment de sérénité et de luminosité, mais le calme et le sang-froid de Red Neck, dans un moment d'urgence, témoignent bien de l'apaisement de l'artiste.

Comme à son habitude, Gir commence à dessiner le récit sur des demi-planches. Mais, pour la première fois depuis *Angel Face*, où il avait, le temps d'un album, changé de format, le dessinateur opte pour une réalisation sur feuilles uniques dès la troisième planche. Il rompt ainsi avec ses habitudes pour la deuxième fois de sa carrière. Jusqu'à la fin de l'épisode, ce changement lui permet de recourir à une structure plus libre autour d'une architecture de planche en 9 cases, et non plus en 12 comme initialement prévu. Charlier, découvrant cette réorganisation, doit reprendre son script à partir de la planche 6 pour s'adapter. Il est toutefois curieux de constater qu'à l'époque d'*Angel Face*, Giraud ne tirait presque pas parti de cette grande planche, conservant la sacro-sainte ligne de séparation médiane entre la deuxième et la troisième bande. Mais au moment de *La Longue Marche*, Mœbius travaille sur *L'Incal*, et Giraud reprend de cette expérience cette organisation en trois bandes, inédite dans *Blueberry*. Il emploie cependant, eu égard au western et à ses conventions, un format bien plus grand que dans son œuvre de science-fiction. Si les planches originales de *L'Incal noir* ont une largeur d'environ 28 cm, celles de *La Longue Marche* font plutôt 45 cm. Ce sont les plus grandes sur lesquelles Giraud a travaillé pour *Blueberry*. Seul *Le Bout de la piste*, quelques années plus tard, sera dessiné en plus grand, et encore faut-il préciser que ce sera sur des demi-planches. Cet abandon de la médiane systématique permet au dessinateur une plus grande liberté de construction et de changements de rythme. En somme, ce format lui autorise plus de souplesse. *La Longue Marche* poursuit donc les expériences sur le découpage entamées dans l'album précédent de *Blueberry* et les conjugue aux expériences de Mœbius sur *L'Incal* pour pousser la recherche à son paroxysme. Jusqu'à l'excès même, parfois, lors de compositions de pages où trop de personnages et de bulles se superposent par-dessus les cases pour diriger le regard à travers la planche – au risque d'en brouiller la lisibilité. Car Giraud, comme toujours, pousse l'expérience jusqu'au point de rupture. Le canevas de 9 cases par planche au lieu de 12 a ainsi délayé la narration et à partir de la planche 34, lors de la séquence du vol du train, Giraud est contraint de resserrer verticalement sa mise en page. Charlier et Giraud ne peuvent en effet pas faire pression pour augmenter la pagination comme ils ont pris l'habitude de le faire chez Dargaud lorsque l'intrigue s'étire. Il faut donc resserrer le découpage des dernières pages pour faire tenir le récit sur 46 planches. Giraud revient alors à un rythme de 4 bandes par page, sans que cela soit choquant pour le lecteur, le thème du chemin de fer se prêtant bien à l'horizontalité. Cet usage final de la souplesse nouvellement aquise répond également à une contrainte éditoriale : en effet, l'album va être pour la première fois publié chez Fleurus, qui dépend du groupe allemand Koralle.

Expérimentations graphiques, incursions dans la trame : Jean Giraud ayant élargi considérablement son espace de liberté, on pourrait imaginer qu'il est alors parfaitement satisfait du terrain conquis, mais l'artiste ressent malgré tout une lassitude vis-à-vis de la série qui lui a apporté le succès. Il cherche à alléger sa charge de travail pour s'adonner davantage à ses travaux mœbiusiens et se questionne sur la possibilité de passer la main. Malgré les inquiétudes de Charlier à ce sujet, Giraud recrute

un assistant pour *La Longue Marche*. Il choisit Michel Rouge, qui est déjà un disciple de son trait. Le débutant pose un premier encrage, sur des crayonnés assez poussés du maître, sur les planches 15 à 26 (ou 35 selon les témoignages !). Giraud les complète ensuite de noirs et de détails caractéristiques de sa main particulière, si bien qu'au final, la différence ne saute pas aux yeux. Dans la revue *Swof* (HS n° 2, 2000), un critique fait remarquer deux clins d'œil au travail de Michel Rouge : planche 15 (la première sur laquelle Rouge travaille, donc), on peut trouver sur un journal la mention « Red Lines » (« lignes rouges »), et, planche 21, l'un des soldats est le portrait du discret assistant ! L'exercice sera très formateur pour Michel Rouge, qui reprendra plus tard la série *Comanche* et dessinera même le dernier tome de *Marshall Blueberry*, voyant ainsi, en l'an 2000, son nom associé officiellement au personnage mythique.

Le diptyque des *Monts de la Superstition* est souvent considéré comme le sommet de la série. La révolution graphique qui s'y déploie a sans aucun doute provoqué un soubresaut dans le monde de la bande dessinée francophone. Pour autant, la longue séquence qui s'ensuit, et qui s'ouvre avec *Chihuahua Pearl* pour se clore sur *La Dernière Carte*, possède elle aussi son lot d'ardents partisans. De surcroît, un nouvel artiste apparaît, et celui-ci est en train de repousser les frontières du média. Tout amateur ne peut qu'être ému de voir en ces pages les échos des recherches de Giraud/ Mœbius, lesquelles ne cesseront de se déployer dans les albums suivants, sous des formes toujours imprévisibles. Plus conscientes et moins spontanées, les nombreuses évolutions formelles qui sous-tendent ces neuf albums impressionnent parfois moins les lecteurs. Pour autant, la richesse des thématiques abordées, le rythme trépidant qui unit ces intrigues en forme d'odyssée, et la lente déchéance d'un héros comme la bande dessinée en a peu montré jusqu'alors, justifient largement cet engouement.

Stéphane Beaujean et Vladimir Lecointre

Quand on en a pris pour 20 ans,

les semaines sont des mois.

PILOTE y a pensé!

Jean-Michel Charlier, de l'autre côté de *Blueberry*

par Patrice Pellerin

Comme beaucoup d'auteurs réalistes, je suis venu à la BD par la lecture de *Blueberry*. Si je me souviens bien, c'était avec *L'Homme à l'étoile d'argent*. Ce fut un des chocs, après la découverte d'Harold Foster, d'Alex Raymond et de Milton Caniff, qui a décidé de ma carrière. Le dessin et la mise en scène époustouflante de Jean Giraud, les scénarios haletants de Jean-Michel Charlier ont été une inspiration incontestable et un modèle à suivre. Et pendant 9 ans, de 1980 à 1989 (année de la mort de Jean-Michel), j'ai eu la chance incroyable de les côtoyer régulièrement tous les deux.

Ce qui frappait, de prime abord, c'était la différence d'allure entre Jean-Michel, presque toujours costumé et cravaté (même quand il était en chemise), et Jean, beaucoup plus décontracté, en blouson, jeans ou pantalon de toile… Il y avait bien sûr leurs 14 ans d'écart et leur éducation différente. Mais en fait, à les connaître, ils étaient beaucoup plus proches qu'il n'y paraissait. Sous ses dehors toujours policés et aimables Jean-Michel cachait un côté « rebelle ». Et je ne pense pas, contrairement à ce qu'on croit, qu'il a fallu beaucoup lui tordre le bras pour amener *Blueberry* dans la direction que la série a prise. Il suffit de regarder les personnages qu'il a créés. Blueberry le cow-boy, Barbe-Rouge le pirate, mais même les pilotes Buck Danny et Sonny Tucson, ou Tanguy et Laverdure, bien que militaires obéissant aux ordres et à la hiérarchie, vont à un moment ou à un autre s'affronter à des « brutes galonnées » ou des autorités bornées.

Et si on loue, à juste raison, le talent immense de Jean Giraud, il ne faut pas oublier, caché derrière son dessin magnifique, celui de Jean-Michel Charlier.
Il avait été nourri par les feuilletonistes du XIXe siècle, Féval, Dumas, Ponson du Terrail et surtout Zévaco,

dont il avait repris jusqu'aux tics de langage dans le descriptif de ses scénarios. Il y avait aussi les BD américaines, ces *Sunday pages*, qu'il allait récupérer à l'ambassade américaine, avant qu'elles ne soient brûlées. Elles l'ont beaucoup inspiré (il n'y a qu'à comparer Steve Canyon et Buck Danny, par exemple).

Il y a pris un humour un peu potache – que l'on retrouve moins dans *Blueberry*, si on excepte McClure – mais aussi un réalisme dans les personnages, leur comportement, la dureté de certaines séquences, qu'il ne pouvait pas pousser trop loin, pour des raisons de censure – la faute à cette fameuse loi de 1949 sur les publications destinées à la jeunesse, quand les séries américaines étaient, elles, diffusées dans des journaux pour adultes. Je l'ai entendu plusieurs fois s'en plaindre. Mais, il faisait avec, travaillant plus dans l'allusion ou l'ellipse, cet outil indispensable de la bande dessinée. Il n'y a que dans les personnages féminins qu'il a vraiment été bridé, ou s'est bridé lui-même, à l'exception notable bien sûr de Chihuahua Pearl.

Page de gauche, en 1974, Pilote devient mensuel. Cette illustration est utilisée pour une publicité destinée au Monde.

MÉTHODES DE TRAVAIL

Il écrivait souvent la télévision allumée, tapant avec quelques doigts sur sa machine à écrire, entouré d'innombrables notes griffonnées sur des petits bouts de papier, des blocs à l'en-tête d'hôtels des Seychelles ou des États-Unis. Des idées de péripéties, des références, des noms… Il avait dans les dossiers de son bureau des quantités de pages de magazines découpées pour une éventuelle histoire. Il partait souvent d'un fait réel, d'une anecdote trouvée dans le journal du jour, sur laquelle il rebondissait.

Le système de présentation de ses pages, en gaufrier, a priori très rigide, n'était qu'un canevas sur lequel ses dessinateurs, en fonction de leurs personnalités, pouvaient déployer leur vision de la mise en scène. Ils pouvaient aussi ajouter leur grain de sel dans l'histoire elle-même. Jean Giraud a ainsi pu développer sans problème le personnage de McClure qu'il appréciait. Quasiment sans en discuter. Jean-Michel devinait assez vite les goûts et les envies de ses auteurs et adaptait son scénario en conséquence.

Il travaillait par bribes. Impossible d'avoir un scénario complet. Ce n'était la plupart du temps que deux ou trois pages, quand ce n'était pas qu'une demie. Ses tapuscrits, sur papier pelure (eh oui, les traitements de texte et les ordinateurs n'existaient pas encore), étaient raturés, avec des rajouts manuscrits ou des retouches de blanco. On y voyait le bouillonnement de son travail en pleine action. Il y ajoutait souvent des croquis au stylo bille pour nous expliquer une scène.
Bien sûr, il y avait aussi ses retards permanents, et ses excuses toujours aussi savoureuses.

LA CHAIR ET LES OS

Même si tous ses auteurs étaient différents, il travaillait de la même façon pour tous.
Je me souviens par exemple de ce festival à Montpellier où nous étions quatre auteurs de son "écurie", Francis Bergèse, Colin Wilson, Alexandre Coutelis et moi-même à être venus dédicacer. Le matin, au petit déjeuner, je l'ai trouvé assis, stylo en main, à une petite table dans le hall de l'hôtel. Devant lui des chemises, contenant des pages de scénario de nos quatre séries. Et il passait de l'une à l'autre, corrigeant une scène ou améliorant un dialogue. C'était sa façon de faire. Au bout de quelques pages d'une même série, il était à sec, alors il passait à une

autre. Et quand, quelques jours ou quelques semaines plus tard, il revenait à la première, il avait un regard neuf et des idées nouvelles.

Le scénario de Jean-Michel était un squelette sur lequel le dessinateur devait rajouter les muscles, la chair, la peau, pour le rendre vivant et attrayant. Il savait que le dessinateur avait toujours le dernier mot et il le lui abandonnait volontiers, sans frustration, dans la mesure où celui-ci respectait l'esprit de son récit et de ses personnages.
Car s'il laissait, en toute confiance, une grande liberté à ses dessinateurs, il avait toujours un regard aiguisé sur leur travail et sur la clarté du récit. Les informations ou les détails qu'il donnait, s'ils étaient importants, devaient être clairement lisibles pour un lecteur parfois distrait ou inattentif.

« SATANÉS VÉGÉTARIENS »

Et même les plus grands n'étaient pas à l'abri de ce regard.
Par exemple, ce jour de 1983, dans les bureaux de Novedi, rue Lincoln, derrière les Champs-Élysées. J'étais venu livrer mes planches à Jean-Michel quand Jean Giraud nous a rejoints. Il apportait des pages du *Blueberry* en cours, *La Dernière Carte*. Et j'ai vu avec effarement le grand Giraud se faire remonter les bretelles par son scénariste à propos de la planche 38 de l'album, cette scène où le commandante Vigo reçoit un couteau dans le dos. « On ne voit pas bien l'action, Jean ! Et puis, c'est trop mou ! On dirait qu'il se fait piquer par un moustique ! Ça ne va pas ! Toute cette séquence est trop molle ! N'oublie pas que ces gens-là mangeaient de la viande rouge ! Ils étaient sanguins, violents ! Évidemment, toi, avec tes légumes ! » L'argument sur le côté viandard des cow-boys était assez étonnant, mais à cette époque Jean-Michel, le bon vivant, trouvait que le dessin de Jean s'était ramolli. Il pensait que sa récente conversion au végétarisme en était la cause. Comme on était en fin d'album, à la bourre, Jean n'a pas eu le temps de refaire la séquence. Elle est restée telle.

Quelques semaines plus tard, le même genre de scène s'est reproduit, au même endroit, alors que Jean livrait la couverture de *La Dernière Carte*. Il avait dessiné Blueberry, à cheval, de face, tête baissée, son chapeau lui couvrant tout le visage… Et une nouvelle fois, Jean-Michel a tiqué. Toujours avec la même courtoisie et tout aussi fermement il a fait remarquer que la couverture manquait de force et que ce Blueberry faisait bien léthargique. « Ah ! Ces satanés végétariens ! » Cette fois, Jean a refait le dessin.

Comme je m'étonnais qu'il accepte, à son niveau, de se faire critiquer comme cela sans tiquer, il m'a expliqué que c'était le fonctionnement normal de leur binôme. Et que lui, de son côté, n'hésitait pas à couper dans le texte, à modifier des scènes ou des dialogues ou demander des changements dans le scénario. C'est ce regard croisé à la fois bienveillant et critique sur leur travail qui a amené *Blueberry* si haut. Ayant tous les deux une grande confiance l'un dans l'autre, Jean-Michel Charlier et Jean Giraud savaient mettre leur ego de côté au bénéfice de leur série. Pour moi, tout jeune dessinateur à l'époque, ce fut une belle leçon d'humilité.

À LA MANIÈRE DE DUMAS

Jean-Michel avait construit pour ses dessinateurs des rails très rassurants sur lesquels ils pouvaient faire rouler le train de leurs dessins en toute sécurité sachant qu'ils allaient dans la bonne direction. « Ce n'est qu'en s'exprimant à sa façon, avec sa propre personnalité, que le dessinateur travaille bien » disait-il. Et il a appliqué ce principe avec tous, même quand il s'agissait de jeunes auteurs ou de reprises.

Chaque album lui permettait d'ajouter une pierre supplémentaire aux personnages ou aux péripéties. C'est dans *Blueberry* qu'il a le plus appliqué ce principe avec des épisodes de deux, trois albums ou plus. C'est pour cela que des McClure, des Chihuahua Pearl ou des

Vigo, personnages au départ secondaires, sont devenus de plus en plus intéressants, de plus en plus étoffés, avec plus de facettes.

Quand il traitait l'Histoire, que ce soit dans *Blueberry* ou *Barbe-Rouge*, Jean-Michel le faisait encore à la manière de Dumas, n'hésitant pas à la violenter du moment qu'il lui faisait de beaux enfants. À la véracité historique, il privilégiait les personnages et leurs aventures, ce qui lui permettait d'imprimer un rythme très rapide, surtout dans *Blueberry* où il y avait moins de contraintes techniques que dans *Buck Danny* ou *Tanguy*. Ce qui convenait à Jean Giraud, tout à fait à l'aise avec ce tempo effréné.

De la même façon que Jean Giraud s'immergeait dans ses dessins, comme il l'a souvent raconté, Jean-Michel Charlier plongeait dans ses histoires en les écrivant. Je pense qu'il essayait de retrouver à les faire le plaisir qu'il éprouvait à lire les feuilletons de son enfance. Un côté enfantin qu'il n'a jamais perdu. Je me souviens, entre autres, de ce jour de novembre 1983 où il était assis seul dans une diligence, devant la tour Eiffel, entouré de soldats yankees et d'Indiens à cheval pour fêter les 20 ans de *Blueberry*. Ses yeux brillaient très fort, comme le gosse qu'il était toujours…

Patrice Pellerin

Né en 1955, Patrice Pellerin a démarré dans la bande dessinée en dessinant deux épisodes de Barbe-Rouge *scénarisés par Jean-Michel Charlier. Il est également l'auteur complet de la série* L'Épervier *(9 tomes parus chez Dupuis et Soleil), et illustrateur.*

Que ce soit à l'initiative du dessinateur ou à la demande du scénariste, les auteurs n'hésitaient pas à reprendre ce qui paraissait perfectible, quitte parfois à sacrifier de belles cases mais toujours au profit de l'efficacité narrative.
Voici deux exemples de ces « premiers jets », mis en regard de la version finalement retenue pour l'album, avec le dernier strip de la planche 28 d'*Angel Face*, et la demi-planche 2a de *Nez Cassé*.
Dans les deux cas, les changements radicaux de mise en pages, de cadrage, d'attitude des personnages et de textes, apportent une indéniable dimension dramatique supplémentaire.

Dans le strip d'*Angel Face*, on passe d'un mouvement tournant de caméra en plongée qui montre l'assassin et sa victime, à une vue en contre-plongée où la victime est de dos et l'assassin invisible. Dans la dernière case, même la flamme du coup de feu est masquée. Le corps du détective qui se tord, la trajectoire de la balle – qu'on devine à la fumée, l'impact dans le dos et le révolver du détective suspendu au-dessus de sa main crispée – tous ces détails se détachent d'autant mieux sur l'espace blanc créé par ce nouveau point de vue, et montrent une mort brutale et sèche. Sur la planche 2 de *Nez Cassé*, ce sont découpage, cadrages et attitudes qui sont réorganisés pour exploiter au mieux le «jeu» des expressions faciales et fluidifier la lecture. Pour le strip comme pour la demi-planche, les dialogues ont également été revus, resserrés et mis en adéquation avec la nouvelle mise en scène…

BLUEBERRY

● Trente ans de prison !... C'est la peine que l'ex-lieutenant Mike S. Blueberry purge derrière les barreaux du pénitencier militaire de Francisville...

● Pendant ce temps, un monstrueux et gigantesque complot menace l'avenir même des Etats-Unis !...

● Quel lien étrange relie le prisonnier solitaire de Francisville aux machiavéliques instigateurs de cette conjuration ?

● Vous le saurez en lisant, dès la semaine prochaine :

L'OUTLAW

Le Hors-la-loi

FICHU ?... JAMAIS !... JE FILE-RAI D'ICI, ET MÊME SI JE DOIS PASSER TOUT LE MEXIQUE AU PEIGNE FIN, JE RETROUVERAI VIGO ET LE FERAI TÉMOIGNER POUR MOI... AVEC UNE BONNE LAME D'ACIER SUR LA GORGE S'IL LE FAUT...

CE VIGO !... IL AVAIT JURÉ DE M'INNOCENTER... JE NE SAIS PAS SI C'EST POUR COUVRIR SON GOUVER-NEMENT, OU PAR VENGEANCE, MAIS IL A TOUT NIÉ ET M'A ENFONCÉ JUSQU'AU COU"... JE TE DIS QUE JE LE RE-TROUVERAI !

OUAIS !... MAIS ON NE S'É-VADE PAS DE FRANCISVILLE, MON GARS"... POUR TOI CE N'EST PAS LA BONNE SOLUTION !

(*) VOIR " BALLADE POUR UN CERCUEIL "

HA "... PARCE QUE TOI, TU LA CONNAIS, LA BONNE SOLUTION ?...

UN PEU QUE JE LA CONNAIS... ÉCOUTE !...

UNE SEMAINE PLUS TARD...

BLUEBERRY DEMANDE À VOUS VOIR, SIR "...

PARFAIT SERGENT... J'ARRIVE...

PEU APRÈS

ALORS MON CHER... ENCORE QUELQUE CHOSE QUI NE VA PAS ?!...

OUAIS"... MOI !...... VOUS AVEZ GAGNÉ KELLY !... JE METS LES POUCES !...

VRAIMENT !... VOUS VOYEZ, JOSHUA... MES MÉTHODES ONT DU BON !...

JE LE CROYAIS PLUS CORIACE SIR "... ENCORE UN DUR EN PEAU DE LAPIN !...

JE PRÉFÈRE VIVRE COMME LE DERNIER DES PEONS QUE CREVER COUSU D'OR DANS VOTRE CAMP DE LA MORT, ESPÈCE DE VIEUX DÉBRIS !... KELLY ! JE VOUS LIVRE LE TRÉSOR CONFÉDÉRÉ CONTRE MA LIBERTÉ !...

C'EST NOUS QUI DICTONS LES CONDITIONS, BLUE-BERRY !... OÙ EST LE MAGOT ?...

ENTERRÉ PRÈS DE LA FRON-TIÈRE AU SUD D'EL PASO !... JE SUIS SEUL À POUVOIR RETROUVER L'ENDROIT... ET DE TOUTE FAÇON CE N'EST PAS À VOUS QUE JE LE DIRAI "...

OK, BLUEBERRY !... JE VAIS EN RÉFÉRER À WASHINGTON !...

PLUS TARD

ALORS !?...

ILS ONT L'AIR D'ÊTRE TOMBÉS DANS LE PANNEAU "... TU AVAIS RAISON !... ILS VONT PROBABLEMENT ME SORTIR D'ICI ET ME FOURNIR UNE CHANCE DE M'ÉVADER !...

UNE NOUVELLE SEMAINE S'EST ÉCOULÉE... ET, CE MATIN-LÀ...

BLUEBERRY... JE VIENS DE RECEVOIR DE WASHINGTON L'ORDRE DE VOUS EXPÉDIER, SOUS BONNE ESCORTE, JUSQU'À EL PASO, OÙ LE GÉNÉRAL McPHERSON EN PERSONNE VOUS ATTENDRA POUR RÉCUPÉRER L'OR VOLÉ...

SI VOUS TENEZ PAROLE, IL A POUVOIR DE RÉDUIRE VOTRE PEINE... SINON TANT PIS POUR VOUS... AU MOINDRE ESSAI D'ÉVASION... L'ESCORTE VOUS ABATTRA !..

LÀ, IL BLUFFE !.. LA CONSIGNE DOIT ÊTRE AU CONTRAIRE DE M'AVOIR VIVANT... DU MOINS TANT QUE JE N'AURAI PAS PARLÉ !.. DAMN... CES FRUSQUES PUENT LE COYOTE CREVÉ... PIRE QUE MA TENUE DE TAULARD...

PLEURE PAS... SI TU SAIS Y FAIRE, T'AURAS BIENTÔT DES CHEMISES EN SOIE !..

J'AI PAS DE CONSEILS À TE DONNER, MAIS À TA PLACE, J'ATTENDRAIS LES "ROCKIES" POUR TENTER QUELQUE CHOSE ! C'EST LÀ QUE TU POURRAS LE MIEUX TE CACHER ET SURVIVRE !..

SI T'EN SORS VIVANT ET QUE T'AS ENVIE D'UN BON REPAS, D'UN BON LIT... ET DU RESTE... J'AI UNE COPINE INSTALLÉE À SANTA FE... UN SACRÉ NUMÉRO... VA LA SAWER DE MA PART ! ELLE POURRA T'AIDER !..

ET C'EST QUOI, SON ADRESSE ?

FACILE ! TU DÉBARQUES À SANTA FE ET TU DEMANDES LE "PALAIS DES ANGES" DE GUFFIE PALMER... TOUT LE MONDE CONNAÎT... TU PEUX ME CROIRE !..

PAS POSSIBLE !.. CETTE BONNE GROSSE GUFFIE !..

PARFAIT ! JE VOIS QUE TU LA CONNAIS TOI AUSSI !

ET ÇA FAIT UN BAIL !.. NOTRE PREMIÈRE RENCONTRE DATE DE LA CONSTRUCTION DE LA TRANSCONTINENTALE...

GUFFIE EST UNE BRAVE FILLE ! JE POURRAI COMPTER SUR ELLE... MERCI POUR LE TUYAU, CARTRIDGE !.. IL EST BON...

ÉCOUTE BLUEB'... ON S'EST TOUJOURS BIEN ENTENDUS, TOUS LES DEUX... JE VAIS QUAND MÊME PAS TE LAISSER PARTIR COMME ÇA... SANS UN CADEAU D'ADIEU...

C'EST UNE BROCHE... QUAND ON ME DEMANDE, C'EST UN SOUVENIR DE MA FEMME !.. MAIS REGARDE L'ÉPINGLE !.. TORDUE COMME ELLE EST... ELLE POURRA T'OUVRIR N'IMPORTE QUELLE PAIRE DE MENOTTES !..

JOLI TRAVAIL !..

TÂCHE DE T'EN SERVIR AU BON MOMENT ! CACHE-LA BIEN ET... **ATTENTION !..** ON VIENT !..

PAS ENCORE PRÊT RACAILLE ! DÉPÊCHE-TOI D'ENFILER TES FRUSQUES... LE LIEUTENANT, IL AIME PAS ATTENDRE !

ÇA VA... J'ARRIVE !..

Y A PAS LE FEU !..

QUELQUES MINUTES PLUS TARD, PIEDS ET POINGS EN-CHAÎNÉS, BLUEBERRY QUITTE FRANCISVILLE SOUS BONNE ES-CORTE...

ON VA COMME ÇA JUSQU'À EL PASO?

NON... TOPEKA!... ET ENSUITE, LE CHEMIN DE FER...

LE DIABLE SEUL SAIT VERS QUEL GUÊPIER ROULE CE GARS-LÀ, MAINTENANT!... MA PAROLE, JE COMMENCE À REGRETTER D'AVOIR ACCEPTÉ DE JOUER CETTE SALE COMÉDIE...

JE TE PRÉVIENS MON GARS... CETTE NUIT, TU DORMIRAS ENCHAÎNÉ À LA VOITURE... ALORS NE FAIS PAS TROP DE PROJETS D'É-VASION!...

QUELLE IDÉE SERGENT?... C'EST TELLEMENT MERVEIL-LEUX DE VOYAGER AVEC UNE RAVIS-SANTE CHOSE COMME VOUS!

CE SOIR-LÀ, À FRANCISVILLE

SIR!... LE PRISON-NIER CARTRIDGE DEMANDE UNE ENTREVUE PRIVÉE!

JE L'ATTENDAIS! FAITES-LE VENIR, JOSHUA!

PLUS TARD

GUÈRE PRUDENT, SIR... SEUL AVEC CET HOMME... C'EST...

NE VOUS BILEZ PAS, JOSH... J'AI PRIS MES PRÉCAU-TIONS!... ET RAPPELEZ-VOUS, HEIN?... PERSONNE!... PAS MÊME DANS CE BUREAU!

...NOUS SOMMES TRAN-QUILLES POUR PARLER!... JE VOUS ÉCOUTE, MON AMI!... QUEL EST VOTRE PROBLÈME?

BON DIEU, KELLY!... CESSEZ CETTE COMÉ-DIE!... J'AI REM-PLI MA PART DU CONTRAT!... À VOUS DE REMPLIR LA VÔTRE!...

...DÉBROUILLEZ-VOUS POUR ME FAIRE SORTIR DE MON TROU, OU ALORS, MOI... JE RACONTE TOUT... TOUT!

O.K., O.K.,... RIEN NE SERA RACONTÉ... J'AI PRÉVU CE QU'IL FALLAIT POUR QUE VOUS PUISSIEZ QUITTER FRANCISVILLE CE SOIR-MÊME!...

OÙ DIABLE AI-JE MIS VOTRE ORDRE DE LIBÉRA-TION?... AH... LE VOILÀ!...

PAW!! PAW!!!

BON SANG!.. ÇA VIENT DE CHEZ...

PAW À L'AIDE! À MOI! PAW! ?!

V... VOUS AVIEZ RAISON JOSHUA... J'AI... J'AI DÛ L'ABATTRE... C'ÉTAIT L... LUI OU MOI...

IL EST MORT... UNE DES BALLES LUI A TRAVERSÉ LE CŒUR!

IL AVAIT BIEN CALCULÉ SON COUP... LE MISÉRABLE ESPÉRAIT SANS DOUTE SE SERVIR DE MOI COMME OTAGE...

BAH... C'ÉTAIT UN CONDAMNÉ À MORT N'EST-CE PAS?.. VOUS N'AVEZ FAIT QUE DEVANCER LE BOURREAU, SIR!..

JE VAIS PERSONNELLEMENT INSPECTER SA CELLULE... IL Y A PEUT-ÊTRE LAISSÉ QUELQUE INDICE!..

JOSH... OCCUPEZ-VOUS DU CORPS PENDANT CE TEMPS...

YESSIR! HEY! VOUS AUTRES... FLANQUEZ-LE À LA FOSSE COMMUNE... VITE!..

CET IDIOT DE CARTRIDGE M'A SIMPLIFIÉ LE TRAVAIL...

CARTRIDGE ÉTAIT DANS LE VRAI!.. RIEN À TENTER AVANT UN RELÂCHEMENT DE LA GARDE!

ET, APRÈS CINQ JOURS DE VOYAGE SANS HISTOIRE...

NOUS PRENONS LE TRAIN JUSQU'À SANTA FÉ, SIR... UNE ESCORTE VENUE D'EL PASO Y ATTENDRA LE PRISONNIER...

TOPEKA

ATCHISON-TOPEKA & SANTA-FÉ R.R.

DITES-MOI, STANLEY ! J'ESPÈRE QUE VOTRE COMPAGNIE NE VA PAS NOUS IMPOSER, À MA FEMME ET À MOI-MÊME, LA PRÉSENCE DE CE... GIBIER DE POTENCE...

RASSUREZ-VOUS, MISTER PEMBLETON !... IL EMBARQUE DANS LE FOURGON !...

LES SOLDATS AUSSI, J'ESPÈRE,... **MON DIEU CETTE ODEUR !** NE LES OBLIGE-T-ON DONC JAMAIS À SE LAVER ?

RAMENEZ LA VOITURE ET NOS CHEVAUX À FRANCISVILLE ! JE PRÉVIENDRAI DE MON RETOUR PAR LE TÉLÉGRAPHE...

YES SIR...

ET BIENTÔT

HÉ !.. PAS QUESTION D'HÉBERGER VOTRE PRISONNIER ... NOUS TRANSPORTONS DES FONDS IMPORTANTS ET

NAVRÉ, MAIS J'AI DES ORDRES, D'AILLEURS, LA COMPAGNIE A ÉTÉ AVERTIE !

DE QUOI TE PLAINS-TU, SONNY... ÇA VA TE FAIRE UNE ESCORTE BÉNÉVOLE POUR DÉFENDRE TON OR !

EN VOITURE LÀ-BAS !.. ON PREND DU RETARD !

BON, MAIS PAS PLUS DE CINQ, HEIN !?

OUAIS... DÉJÀ QU'ON ÉTOUFFE LÀ-DEDANS !..

JE PRENDRAI LES AUTRES AVEC MOI DANS LE DERNIER WAGON !

SERGENT ! VOUS VOUS CADENASSEREZ À L'INTÉRIEUR ! N'OUVREZ QUE SUR MON ORDRE ET LAISSEZ SES MENOTTES AU PRISONNIER ! JE VOUS FERAI RELAYER !

ET, QUELQUES INSTANTS PLUS TARD...

DAMN... ÇA COMMENCE MAL... SEUL DANS CETTE FICHUE BOÎTE À ROUES AVEC SEPT GAILLARDS ARMÉS JUSQU'AUX YEUX !.. JE DOIS AVOIR UN PEU MOINS D'UNE CHANCE SUR MILLE D'EN SORTIR...

'TENTION MON GARS !.. TE METS PAS DANS MES PATTES COMME ÇA !..

PFFF... QUELLE FOURNAISE !

HÉ... Y PARAÎT QUE TON COFFRE CONTIENT AUTRE CHOSE QUE TA RÉSERVE DE WHISKY AUJOURD'HUI !..

150 000 DOLLARS EN COUPURES, POUR LES BANQUES DE SANTA FE ET D'ALBUQUERQUE... C'EST POUR ÇA QU'ON A TRANSFORMÉ LE FOURGON EN FORTERESSE... ET QU'ON Y ÉTOUFFE!..

DEUX JOURS DURANT, APRÈS DODGE CITY, LE TRAIN NE S'ARRÊTE PLUS QUE DANS DE RARES STATIONS, OU POUR FAIRE DE L'EAU OU DU BOIS... INLASSABLEMENT, IL TAILLE SA ROUTE À TRAVERS LES PLAINES DU MIDDLE WEST

BLOODY HELL!.. IL N'Y A JAMAIS PLUS DE TROIS DES OCCUPANTS DU FOURGON QUI FERMENT L'ŒIL À LA FOIS!..

"... LE DERNIER WAGON..." OK!

C'EST ENFIN TRINIDAD, DERNIER ARRÊT AVANT LES ROCHEUSES

ILS SONT LIBRES, CES SIÈGES?

ET COMMENT QU'ILS SONT LIBRES!.. PERSONNE NE VEUT LES OCCUPER!..

PARAÎT QUE NOUS PUONS LA SUEUR!.. SI VOUS AVEZ LE NEZ MOINS DÉLICAT QUE CERTAINS, INSTALLEZ-VOUS!..

BAH!.. AVEC UN BON CIGARE!.. D'AILLEURS, NOUS NON PLUS, ON NE S'EST PAS DÉBOTTÉ DEPUIS SIX BONS JOURS!..

C'EST PARTI POUR L'ÉTAPE DÉCISIVE!.. À PARTIR DE MAINTENANT, JE N'AI PAS LE DROIT DE LAISSER PASSER LA MOINDRE CHANCE... C'EST AUSSI LE MOMENT D'USER DU CADEAU DE CARTRIDGE!..

AHANANT ET CRACHANT UN LOURD PANACHE, LE CONVOI S'EST ATTAQUÉ AUX PREMIERS CONTREFORTS DES MONTAGNES ROCHEUSES

HEY!. SONNY! À QUAND LE PROCHAIN ARRÊT ?!.

DANS VINGT HEURES!. SUR L'AUTRE VERSANT, UN PEU APRÈS LE TUNNEL DE "STOCKADE CAMP"

SANS ÊTRE VU, BLUE-BERRY A SORTI DE L'OURLET DE SA MANCHE L'ÉPINGLE TORDUE QUE LUI A REMISE CAR-TRIDGE ... ET, APRÈS UNE VINGTAINE DE MINUTES DE TÂTON-NEMENTS...

ÇA Y EST! UNE BONNE TRACTION SUR LA CHAÎNETTE ET J'AURAI LES MAINS LIBRES

C'EST INTOLÉRABLE !. CETTE HORRIBLE FUMÉE DE CIGARE !. JE CROIS QUE JE PRÉFÈRE ENCORE L'ODEUR DES MILITAIRES !. LA COMPAGNIE ACCEPTE VRAIMENT N'IMPORTE QUI !.

VOYONS, MA CHÈRE MATHILDA !. ON NE PEUT PAS OUVRIR LES FENÊTRES !. À CETTE ALTITUDE, NOUS GÈLERIONS

ET PARLEZ PLUS BAS, POUR L'AMOUR DE DIEU !. VOUS ALLEZ NOUS ATTIRER DES HISTOIRES ...

?

C'EST-Y DE MOI QUE VOUS PARLEZ, MA'AM ?!.

HERBERT, JE VOUS PRIE D'INTERDIRE À CE SAUVAGE DE M'ADRESSER LA PAROLE !. JE NE PARLE QU'AUX GENTLEMEN !

"NAVRÉ QUE MA FUMÉE VOUS INCOMMODE, MA'AM ... JE VAIS ALLER FINIR MON CI-GARE SUR LA PLATE-FORME AVANT ... MOI, C'EST VOTRE PARFUM QUI ME REND MALADE !

EH BIEN, HERBERT, JE VIENS D'ÊTRE INSULTÉE !. QU'ATTENDEZ-VOUS POUR FAIRE QUELQUE CHOSE ?!.

HEU!.

RASSURE-TOI, MON DOUX COEUR! J'ÉCRIRAI À LA COMPAGNIE...

CEPENDANT

ATTENDRE LE TUNNEL... ARRACHER SON COLT AU CONVOYEUR QUAND IL REPASSERA... METTRE TOUT LE MONDE EN JOUE... FAIRE SAUTER LE CADENAS... PFFF... SI J'AI UNE CHANCE SUR CENT DE M'EN SORTIR...

AU MÊME INSTANT

"VERTEMENT!"

HA HA HA HA HA HA HA HA HA HA HA

VOILÀ LE TUNNEL... ENVOIE LES DEUX COUPS DE SIFFLET, SAM, QU'ILS ALLUMENT LES LAMPES DANS LES WAGONS...

ATTENTION! TU ALLUMES LA MÈCHE DÈS QUE LE FOURGON DISPARAIT SOUS LA VOÛTE

LANDSKY NOUS FAIT SIGNE QU'IL EST PARÉ, À L'ENTRÉE DU TUNNEL!

BOUM... HI HI HI HI BOUM BOUM

ET, EN AVAL DE LA VOIE

BOUM!

JOLI TRAVAIL!

OK... REGAGNEZ TOUS VOS PLANQUES!

SACRÉ LANDSKY! L'EST P'T-ÊTRE CINGLÉ, MAIS IL SAIT PLACER UNE CHARGE

?!! !!

HANDS UP, LIEU-TENANT! ET NE VOUS AVISEZ PAS DE JOUER AU PETIT SOLDAT, HEIN?

HIN HIN!!

CRAPULES! COMMENT NE ME SUIS-JE PAS DOUTÉ DE VOTRE SALE COUP?

TOUT LE MONDE LES MAINS EN L'AIR!

L'HOMME AU CIGARE!

DOG! DÉSARME TOUS CES IDIOTS!

LES ARMES DES MILITAIRES... JE LES BALANCE?

C'EST ÇA! ET TU DÉTACHES LE FOURGON... VITE!

LADIES AND GENTLEMEN! RESTEZ BIEN TRANQUILLES À VOS PLACES... NOUS NE SOMMES LÀ QUE POUR LE MAGOT DU WAGON DE QUEUE!

CEPENDANT, DANS LE FOURGON

HELL! MES AFFAIRES NE S'ARRANGENT PAS... CE DAMNÉ CONVOYEUR N'AP-PROCHE PLUS ET LE SERGENT ME TIENT À L'ŒIL!

OUF! ÇA Y EST! J'AI BIEN CRU QUE CE MAUDIT FOURGON RESTERAIT COLLÉ LÀ JUSQU'À LA FIN DES TEMPS...

DÉJÀ LE BOUT DU TUNNEL! BEN, IL ÉTAIT TEMPS... AVEC LA PENTE QUI S'INVERSE SITÔT LA SORTIE! ÇA VA ÊTRE À SLIG DE JOUER MAINTENANT... S'IL EST BIEN AU RENDEZ-VOUS!

TIENS... ON DIRAIT QUE LE TRAIN RALENTIT !?

DIS PLUTÔT QU'IL S'ARRÊTE ! ET EN PLEIN SOUS LE TUNNEL !

UNE SECONDE, LE WAGON S'EST IMMOBILISÉ, COMME HÉSITANT... ET SOUDAIN...

HEY !!

ON... ON RECULE !!!

LE FOURGON S'EST DÉCROCHÉ ! GOOD LORD !

LA VOIE EST EN PENTE ! NOUS ALLONS NOUS ÉCRASER !

LA VOITURE DÉTELÉE, DONT LA VITESSE S'ACCROÎT DE SECONDE EN SECONDE, COMMENCE À DÉVALER, EN MARCHE ARRIÈRE, VERS LA SORTIE DU TUNNEL, EN CONTREBAS... À L'INTÉRIEUR, C'EST LA PANIQUE !...

IL FAUT STOPPER LE FOURGON !

IMPOSSIBLE SOUS LE TUNNEL !..

LA PORTE !.. VITE ! DÉCADENASSEZ LA PORTE !

RRRRRRRRK

VOILÀ LE FOUR-GON !

GIR 73
13A

SUR L'AUTRE VERSANT DE LA MONTAGNE, LE TRAIN VIENT DE SORTIR DU TUNNEL... À BORD DE LA LOCOMOTIVE, LES MÉCANICIENS IGNORENT ENCORE LA PERTE DU WAGON DE QUEUE...

PAS DE GESTES FÂCHEUX KIDS !

...CONTINUEZ D'ACCÉLÉRER !.. VOUS NE RALENTIREZ QU'À MON SIGNAL !..

HI HII... BOUM BOUM !

BOOOM

AU MÊME INSTANT, À L'EXTRÉMITÉ DU TUNNEL D'OÙ VIENT DE JAILLIR LE WAGON FOU...

13B

LANDSKY A FAIT SAUTER LE TUNNEL !... ON EST TRANQUILLES DE CE CÔTÉ-LÀ POUR UN SACRÉ BOUT DE TEMPS !

ATTENTION ! ÇA VA ÊTRE À NOUS DE JOUER !

VOUS AVEZ ENTENDU L'EXPLOSION ?

ON VA DÉRAILLER !

BON SANG ! QUE SE PASSE-T-IL ?

ET... ET SI C'ÉTAIT UNE ATTAQUE !?

NOUS SOMMES SORTIS DU TUNNEL !... LA PORTE, VITE !...

...BRUTALE, MAIS HEUREUSEMENT AMORTIE PAR LA MASSE ÉPAISSE DES BRANCHES ET DU FEUILLAGE DU PIN GÉANT.

MAIS, AVANT QUE LES OCCUPANTS DU FOURGON AIENT PU AGIR, C'EST LA COLLISION...

NOUS... NOUS AVONS HEURTÉ QUELQUE CHOSE !...

C'EST UNE AT...ATTAQUE !?

SÛR QUE C'EST PAS UNE QUÊTE DE L'ARMÉE DU SALUT ! AUX ARMES !

HELL !... UN MIRACLE !... FAUT QUE J'EN PROFITE !...

HO! LÀ-DEDANS! VOUS ÊTES CERNÉS!.. NOUS SOMMES NOMBREUX ET BIEN ARMÉS ET VOUS N'AVEZ AUCUN SECOURS À ESPÉRER... SORTEZ UN PAR UN, LES BRAS LEVÉS, ET VOUS AUREZ UNE CHANCE DE RESTER EN VIE!

!?

J'IGNORE QUI TU ES, L'AMI, MAIS NOUS AUSSI, NOUS SOMMES NOMBREUX ET ARMÉS... LA VOITURE EST SOLIDE ET NOUS AVONS DE L'EAU ET DES VIVRES POUR UNE SEMAINE!.. VA AU DIABLE!

AUX LUCARNES, VITE! ET TIREZ SURTOUT CE QUI BOUGE!.. NOUS ALLONS MONTRER NOTRE FORCE À CES CRAPULES!..

QUANT À TOI, L'AMI, REMUE LE PETIT DOIGT ET JE TE CASSE LA TÊTE!..

FEU! VOUS AUTRES!!!

JAILLI DU WAGON ASSIÉGÉ, UN FEU ROULANT, BREF MAIS MEURTRIER, BALAIE LES ALENTOURS DE LA VOIE...

ÇA SUFFIRA COMME DÉMONSTRATION, LES GARS!.. INUTILE DE GASPILLER LES MUNITIONS

HEY, SONNY! ILS ONT FAIT SAUTER LE TUNNEL... L'EXPLOSION, C'ÉTAIT ÇA!..

ÇA N'EMPÊCHERA PAS LES SECOURS D'ARRIVER... C'EST L'AFFAIRE DE QUELQUES HEURES AU PLUS!..

HO! LES RIGOLOS DU FOURGON! J'AVAIS PRÉVU VOTRE ENTÊTEMENT! IL Y A UN BARIL D'EXPLOSIFS ENFOUI DANS LE BALLAST!.. SOUS VOS PIEDS!

VOUS AVEZ CINQ MINUTES POUR VOUS RENDRE!.. APRÈS VOUS SAUTEZ!

BRAVO BLAKE!... BOUM, BOUM... HI HI HI! TOUS EN L'AIR! HI HI HI !.. TU ME LES LAISSES, HEIN, BLAKE!

VOUS... VOUS AVEZ ENTENDU?..

ILS BLUFFENT! ILS VEULENT NOUS AVOIR SANS GRILLER UNE CARTOUCHE!..

MOUAIS... ET S'ILS BLUFFENT PAS!!! HEIN?..

38

PUIS PERSONNE NE PENSE À MOI... QUE SONNY FASSE ENCORE UN PAS PAR ICI, ET J'AI MA CHANCE!

"C'EST L'ARGENT QU'ILS VEULENT!"

"ILS NE VONT PAS RISQUER DE LE RÉDUIRE EN FUMÉE! TÂCHONS DE GAGNER DU TEMPS! LE RESTE DU TRAIN A DÛ STOPPER DÈS LA SORTIE DU TUNNEL ET NOUS ENVOYER DU SECOURS!"

APPROCHE... APPROCHE... AHEZ!...

MAIS, À UNE DIZAINE DE MILES DE LÀ...

LE SIGNAL! ENVOYEZ UN COUP DE SIFFLET ET STOPPEZ!...

ET, DANS LE WAGON DE QUEUE...

LADIES!... GENTLEMEN!... NOUS ALLONS MAINTENANT NOUS QUITTER... ET MERCI D'AVOIR DONNÉ SI GÉNÉREUSEMENT À NOTRE PETITE QUÊTE!...

IL N'Y A PAS DE SOTS PROFITS, N'EST-CE PAS?

"ET UN BON CONSEIL... N'ESSAYEZ PAS DE LIBÉRER TROP VITE CES FRINGANTS MILITAIRES... ET ENCORE MOINS DE NOUS SUIVRE... CE SERAIT TRÈS IMPRUDENT!"

HEY!... VOILÀ HOKA AVEC LES CHEVAUX!...

ADIEU HERBERT... TIENS! RÉCUPÈRE TON TUYAU DE POÊLE

?!

ET TÂCHE D'EN PRENDRE SOIN, QU'IL TE TIENNE CHAUD AUX OREILLES!

40

ARGH!!

TOI, LE GROS PLEIN DE SOUPE, JE NE TE LE REPÉTERAI PAS !..

QUAND VOUS AUREZ JETÉ VOS ARMES, VOUS OUVRIREZ LA PORTE EN GRAND...

CAPORAL ! JE VOUS INTERDIS !

NAVRÉ, SERGENT, MAIS AVEC MA SOLDE DE QUINZE DOLLARS, ME FAIRE DESCENDRE POUR CE TAS D'OR EST AU-DESSUS DE MES FORCES !..

ÇA, C'EST RAISONNÉ, MON GARS ! HEY, TOI... PRENDS CE CHIFFON ET TÂCHE QUE ÇA FASSE UN DRAPEAU BLANC CONVAINCANT...

ET, QUELQUES SECONDES PLUS TARD...

ÇA ALORS... ON AVAIT UN ALLIÉ DANS LA PLACE !.

HEY, BLAKE... QUI C'EST, CE GARS-LÀ ?

UN PETIT FUTÉ, LARRY... ET QUI A SACREMENT BIEN JOUÉ SON COUP.

HM... JOLIE BROCHETTE DE GIBIERS DE POTENCE !.. JE COMMENCE À ME DEMANDER SI J'AI FAIT LA BONNE AFFAIRE EN LEUR LIVRANT LE FOURGON...

EN TOUT CAS, VOILÀ QUI NOUS SIMPLIFIE LA BESOGNE !.. QU'ON LES ATTACHE TOUS SOLIDEMENT !

BLAKE ! TU M'AVAIS PROMIS !.. HEY... BLAKE ! ILS... VONT SAUTER !.. HEIN ? BOUM ! BOUM !...

HÉ VANDSKY !.. TOI, SI ON TE LAISSAIT FAIRE, LE PAYS ENTIER Y PASSERAIT, ÉTAT PAR ÉTAT !..

"SAVENT PAS CE QU'ILS VEULENT...CEUX-LÀ !... Y A PAS UNE HEURE, C'ÉTAIT TOUTE UNE AFFAIRE POUR LES FAIRE SORTIR !

TOUT LE MONDE EST LÀ ?!... OK... EN AVANT !

LAISSEZ-NOUS SORTIR !

HEY ! VOUS N'ALLEZ PAS NOUS ABAN-DONNER LÀ-DEDANS ?

LA FRONTIÈRE EST BIEN À DIX JOURS D'ICI !...

...ET DANS LES 48 HEURES, TOUS LES MARSHALLS ET TOUTES LES GARNISONS DE L'OUEST SERONT À MES TROUSSES !

SI MACPHERSON FAIT BIEN SON BOULOT, TOUTES LES PASSES POUR LE MEXIQUE SERONT BOUCHÉES ET MON PORTRAIT ORNERA LES MURS, DE MATAMOROS À TIJUANA...

LA VIEILLE BADERNE VA ÊTRE ENRAGÉE ! MON ÉVASION LUI APPARAÎTRA COMME UN HOLD-UP DU TRAIN, J'AI UNE SALE AF-FAIRE DE PLUS SUR LE DOS !... UNE SEULE RESSOURCE : SANTA FE !

COMBIEN Y AVAIT DANS LE FOURGON ?...

UNE BONNE PINCÉE ! DANS LES CENT MILLE DOLLARS, D'APRÈS BUCK !

DOMMAGE POUR LE PRI-SONNIER DU FOURGON... UN GARS AVEC UN SANG-FROID PAREIL AURAIT FAIT UNE BONNE RECRUE.

T'EN FAIS PAS !... IL MANGERA LA CUISINE DE LANDSKY AVANT PEU !...

DEUX JOURS PLUS TARD...

SANTA FE !... ENFIN !... JE VAIS ATTENDRE LA NUIT... CE SERAIT IDIOT, APRÈS AVOIR ÉVITÉ APACHES ET PATROUILLES, DE TOMBER SUR UN SHÉRIF MAL EMBOUCHÉ !... BAH !... SI J'EN CROIS CARTRIDGE ON DOIT SE COUCHER TARD CHEZ MISS PALMER !...

DAMN ! BLUEBERRY S'EST ÉVADÉ !...

CEPENDANT, À FRANCISVILLE !

LA CANAILLE !...

PARFAIT ! TOUT A L'AIR DE SE DÉROULER SELON LE PLAN PRÉVU !...

LA CASA DE LOS ANGELES !... AU BOUT DE LA GRAND-RUE SEÑOR ! PRESQUE EN DEHORS DU PUEBLO !...

MUCHAS GRACIAS, HOMBRE...

5 000 DOLLARS !... CE SERA SUFFISANT POUR ME COLLER LES CHASSEURS DE PRIMES SUR LE DOS...

WANTED
ALIVE
5.000 $
M.S. BLUEBERRY

TSO... TSO... SANTA FE, VILLE DE DÉBAUCHE !... JE COMMENCE À COMPRENDRE CETTE BONNE GUFFIE PALMER...

PIONEL
ROOMS
SALOON
ROSES
WELCO
LADI

BON SANG !.. LA BARAQUE A L'AIR DÉSERTE !.. QU'EST-CE QUE ÇA VEUT DIRE !...

...ET TOUT EST BOUCLÉ !.. C'EST BIZARRE !.. GUFFIE A TROP LE SENS DES AFFAIRES POUR FERMER BOUTIQUE ALORS QUE LA VILLE EST PLEINE DE MINEURS PLEINS AUX AS !...

DE LA LUMIÈRE AU DERNIER ÉTAGE ET UNE FENÊTRE OUVERTE AU PREMIER !.. HM... UNE PETITE ESCALADE ET J'AURAI PEUT-ÊTRE LES RÉPONSES AUX QUESTIONS...

HEU !.. Y A UNE SACRÉE BANDE D'IVROGNES QUI A CAMPÉ DANS CETTE PIÈCE ON DIRAIT !.. ET GUFFIE N'A PAS L'AIR TRÈS STRICTE CÔTÉ MÉNAGE !...

LE DÉSERT !..

DU WHISKY ÉCOSSAIS À QUINZE DOLLARS LA BOUTEILLE !... PAS MAL POUR DES GENS SI PEU SOIGNEUX !...

HEY !... APRÈS TOUT CE TEMPS AU BAGNE, C'EST TOUT JUSTE SI JE ME SOUVIENS DU GOÛT DE LA GNÔLE !...

...PICKING A BANJO SALLY ANN ! SALLYYYY ANN... HIC !

IL N'Y A QUE GUFFIE POUR MASSACRER AINSI LES CHANSONS...

DID YOU EVER SEE A MUSKRAT, SALLY ANN ? DRAGGING HIS "HIC" ! SLICK TAIL HEU... THROUGH THE SAND !...

?

TIENS... J'AVAIS OUBLIER LE LOCATAIRE DU DESSOUS !

ENTRE DONC, BEAU GOSSE !... RICHE IDÉE D'AVOIR MONTÉ CETTE BOUTEILLE ! REMPLIS LES VERRES ET PORTONS UN TOAST À LA "MAISON DES ANGES !"

23A

DÉSOLÉ GUFFIE, MAIS JE GARDE LA BOUTEILLE ! DE NOUS DEUX, C'EST QUAND MÊME MOI QUI EN AIE LE PLUS BESOIN !...

BONTÉ DIVINE !... BLUEBERRY, LE DIABLE T'EMPORTE !... J'AURAIS TOUT DONNÉ, POUR QUE TU RAPPLIQUES PAS...

TOUT LE MONDE CHANGE, BEAU GOSSE !... MAINTENANT FILE !...

TU M'AS VITE RECONNU... POURTANT, J'AI CHANGÉ, NON ?

PLUTÔT GLACIALE TON HOSPITALITÉ, GUFFIE... POURTANT, C'EST BIZARRE... J'AI COMME L'IMPRESSION QUE TU M'ATTENDAIS !

TU SAIS CE QUE TU PEUX EN FAIRE, DE TON IMPRESSION ?...

JE SAIS... ET CARTRIDGE... ÇA TE DIT QUELQUE CHOSE !... C'EST LUI QUI M'A ENVOYÉ CHEZ TOI !...

CARTRIDGE !... BONTÉ DIVINE !... CE FILS DE COYOTE... C'EST ÇA QUE TU FRÉQUENTES MAINTENANT ?...

BON... JE VOIS QUE T'ES TOUJOURS AUSSI TÊTU !... Y A PAS TRENTE-SIX MANIÈRES DE CONVAINCRE LES GARS DANS TON GENRE

23B

COÏNCIDENCES OU PAS, TE VOILÀ MON HÔTE, L'AMI ! ET MA PROPOSITION TIENT TOUJOURS... J'AI UN JOB POUR TOI !

JE PRÉFÈRE QUAND MÊME M'EN ALLER, BLAKE !

O.K... ESSAIE ! TU NE FERAS PAS DIX MILES AVANT D'ÊTRE RECONNU ET REPRIS... **SURTOUT À PIED !** J'AI RÉCUPÉRÉ DEHORS LE CHEVAL QUE JE T'AVAIS PRÊTÉ...

SALAUD

T'ÉNERVE PAS, MIKE... LE COIN DOIT GROUILLER DE TUEURS ! TU N'EN SORTIRAIS PAS VIVANT

TU VEUX GAGNER LE MEXIQUE, PAS VRAI ?

TU EN SAIS DES CHOSES.

MON PETIT DOIGT ! EN TOUT CAS, JE PEUX T'AIDER À PASSER LA FRONTIÈRE. J'AI MÊME PAS MAL D'AMIS, DE L'AUTRE CÔTÉ, QUI POUR-RAIENT T'ÊTRE UTILES... MAIS **DONNANT DONNANT !**

TON PRIX EST SÛRE-MENT TROP ÉLEVÉ POUR MOI... JE TENTERAI MA CHANCE TOUT SEUL !

AU POINT OÙ TU EN ES, TU AS TORT DE FAIRE LA FINE BOUCHE ! ET JE PEN-SAIS JUSTE TE DEMANDER UN MENU SER-VICE !

MMA... LEQUEL ?

UN DE MES AMIS, DANS L'EST... UN TRÈS GROS BONNET, A UN FILS... UN CHARMANT GARÇON QUI A COMMIS QUELQUES BÊTISES... ASSEZ FÂCHEUSES POUR L'OBLIGER À PRENDRE DES... "VACANCES" AU MEXIQUE. [25A]

BIEN ENTENDU, CET AMI TIENT À CE QUE SON REJETON Y PARVIENNE SAIN ET SAUF ET IL M'A CHARGÉ D'Y VEILLER... ET MOI, JE VOUDRAIS QUE TU L'EMMÈNES AVEC... C'EST TOUT CE QUE JE TE DEMANDE !

IL Y A UN AUTRE PROBLÈME... LE GAMIN SAIT À PEINE TENIR EN SELLE !

UN POIDS MORT, HEIN ? BON SANG, POURQUOI M'EN ENCOM-BRERAIS-JE ?

CHARGE UN DE TES HOMMES DE LA COMMISSION !

J'AI BESOIN D'EUX ICI... D'AILLEURS, ILS VIENNENT POUR LA PLUPART DU NORD, IL ME FAUT QUELQU'UN QUI CONNAISSE LA RÉGION ET QUI AIT DE BONNES RAI-SONS DE PASSER AU MEXIQUE...

PARCE QU'EN CONTREPARTIE, TU BÉNÉFICIERAS D'UNE FILIÈRE SÛRE... AVOUE QUE C'EST QUAND MÊME MIEUX QUE FAIRE LE CHEMIN À PIED...

ET OÙ SE TROUVE CET INTÉRESSANT JEUNE HOMME...

ICI MÊME... IL EST ARRIVÉ DE L'EST PAR LE TRAIN, IL Y A UNE SEMAINE...

GUFFIE, JE TE CHARGE DES PRÉ-SENTA-TIONS... O.K. ?

BON !... JE DIS PAS QUE J'AC-CEPTE... JE DEMANDE À VOIR !

BRAVO L'AMI !... VOUS PARTIREZ QUAND LE COIN SERA UN PEU CALMÉ... D'ICI-LÀ, TÂCHE DE LUI FAIRE UN PEU D'ENTRAÎ-NEMENT...

...CE NE SERA PAS DU GÂTEAU... LA ROUTE DIRECTE ÉTANT TROP SURVEILLÉE, IL FAUDRA FAIRE UN BON DÉTOUR VERS L'OUEST POUR AVOIR UNE CHANCE DE PASSER SANS CASSE...

VOYONS LE PHÉNO-MÈNE !

DEBOUT LES GARS!... C'EST LE BREAKFAST!... IL EST MIDI, VOUS AVEZ ASSEZ DORMI COMME ÇA!...

WOUHA

J'ESPÈRE QUE VOUS AVEZ PENSÉ À MON CHOCOLAT, Mrs PALMER!...

DU "CHOCOLAT"... OOH MY GOD!...

BIEN SÛR QUE J'Y AI PENSÉ, MON JOLI!... ET TOI, NE PLEURE PAS!... JE T'AI APPORTÉ TA TISANE!...

DU RYE!... T'ES UN ANGE!... JE VAIS EN AVOIR BESOIN SI JE NE VEUX PAS DEVENIR DINGUE DANS CETTE PIAULE!...

PAS QUESTION DE METTRE LE NEZ DEHORS... DEPUIS LE COUP DU TRAIN, LA VILLE GROUILLE DE SOLDATS...

Mrs PALMER, AVEZ-VOUS FAIT MONTER MON EAU CHAUDE... POUR MON BAIN?

À VOS SOUHAITS, BLUEBERRY!... Mrs PALMER, J'EMPRUNTE VOTRE SALLE DE BAIN!... FAITES-EN AUTANT, MONSIEUR... VOUS SENTEZ TRÈS, TRÈS MAUVAIS!

PRT

NON, MAIS TU TE RENDS COMPTE QUE JE VAIS DEVOIR TRAÎNER "ÇA" À TRAVERS LE DÉSERT!...

J'AI PEUR QUE TU N'AIES PAS LE CHOIX, BABY!... IL N'A PAS TORT!... TU PUES! D'AILLEURS JE T'AI FAIT PRÉPARER DES VÊTEMENTS PROPRES, À CÔTÉ!...

27A

QUAND MÊME!... BLAKE ME COMPLIQUE SÉRIEUSEMENT LA TÂCHE!...

MAIS NON!... SANS LA FILIÈRE DONT IL DISPOSE JUSQU'À LA CÔTE OUEST, TU N'AS PAS UNE SEULE CHANCE DE PASSER LA FRONTIÈRE!...

TOUT LE MONDE PARLE DE CETTE FICHUE FILIÈRE, COMME SI C'ÉTAIT LE CHEMIN DU PARADIS!

À PROPOS, BLAKE VEUT QUE TU DESCENDES... IL A DES CHOSES À TE DIRE!...

TIENS!... DRÔLEMENT MÉFIANT PUSSY CAT... IL A BOUCLÉ SA BOÎTE À VIOLON!... DOMMAGE... JE SUIS CURIEUX DE SAVOIR À QUOI RESSEMBLE UN STRADIVARIUS!...

LAISSE ÇA!...

J'AI EU LA MÊME CURIOSITÉ AVANT-HIER... UN VRAI CHAT SAUVAGE!... IL M'AURAIT ARRACHÉ LES YEUX!... DAME, JE ME SUIS DIT!... LE TRUC QU'EST LÀ-DEDANS VAUT DES FORTUNES, PAS VRAI!

PLUS TARD

TIENS!... V'LÀ LE MILITAIRE!...

HI, HI... POUR UN GARS QU'ÉTAIT SI PRESSÉ DE NOUS SEMER, IL A PAS ÉTÉ LOIN!...

SHUT UP!... BLUEBERRY!... VIENS VOIR!... J'AI PRÉPARÉ TON ITINÉRAIRE... LE DÉPART EST AVANCÉ... C'EST POUR DANS DEUX JOURS!...

27-B

AVANCE? TANT MIEUX!... MAIS POURQUOI? GUFFIE M'A DIT QU'IL ÉTAIT IMPOSSIBLE DE SORTIR EN VILLE SANS SE FAIRE REPÉRER...

GUFFIE VOUS FERA FRANCHIR LES CONTRÔLES, CACHÉS DANS SA VOITURE...ICI, NUL NE SE MÉFIE D'ELLE...

ON VOUS ATTENDRA, DOG ET MOI, AVEC DES CHEVAUX PRÈS D'ESPANOVA!...

ESPA-NOVA?...

ON TE CHERCHE AU SUD! TOUTES LES PISTES SONT BLOQUÉES!... ALORS VOUS REMONTEREZ AU NORD, PAR LA MONTAGNE, JUSQU'À DURANGO PUIS GRAND JUNCTION...

LÀ, VOUS PRENDREZ EN FRAUDE LE PREMIER TRAIN VERS L'OUEST JUSQU'À SACRAMENTO...ET DE LÀ, À TRAVERS LE DÉSERT JUSQU'À MEXICALI OÙ VOUS PASSEREZ LA FRONTIÈRE...

QUEL DÉTOUR!... IL Y EN A POUR DES SEMAINES!...

JUSTEMENT... NUL N'IMAGINERA UN ITINÉRAIRE AUSSI INSENSÉ, ET D'ICI-LÀ, LA FRONTIÈRE SERA MOINS SUR- VEILLÉE...

GOOD LORD!... POURQUOI CETTE HÂTE?... POURQUOI NE PAS ATTENDRE ICI...TOUT SIMPLEMENT!?

HEM... L'AFFAIRE DU TRAIN A FAIT UN PEU PLUS DE BRUIT QUE PRÉVU...ET ON COMMENCE À NOUS REPÉRER DANS LE COIN... DE TOUTE FAÇON, C'EST MOI QUI COMMANDE ICI...VU?

OK... MOI, J'AI HÂTE DE FILER!...

LE LENDEMAIN

CALMEZ-VOUS MONSIEUR! PRENEZ UN BAIN TRÈS CHAUD... C'EST TRÈS BON POUR LES NERFS!

AAH SHUT UP!...

...ALORS VOULEZ-VOUS QUE JE VOUS FASSE UN PEU DE MUSIQUE, UN MORCEAU TRÈS...

NON!

...PEUT-ÊTRE SEREZ-VOUS PLUS INTÉRESSÉ PAR LA PRESSE LOCALE, ELLE PARLE BEAUCOUP DE VOS...HEU... EXPLOITS! C'EST TRÈS INSTRUC- TIF!... 175.000

DAMN!... ON ME SIGNALE PARTOUT!

...ET AVEC DES OFFRES DE RÉCOMPENSE À FAIRE PÂLIR TOUS LES PISTOLE- ROS D'ICI À FRISCO... JE... OH!

HELLO!...

BLOODY HELL!... GUFFIE!... EST-CE QUE TU AS LU ÇA?...

TOUT LE BEAU PLAN DE BLAKE S'ÉCROULE!... LA ROUTE DE GRAND JUNCTION EST COUPÉE POUR NOUS!...

?

28B

51

REGARDE ÇA !!... À CROIRE QUE BLAKE NE LIT JAMAIS LE JOURNAL !!... LE GÉNÉRAL GRANT INSPECTERA LA RÉGION DE DURANGO JUSTE AU MOMENT OÙ NOUS NOUS Y POINTERONS !!...

DRÔLE DE COÏNCIDENCE !...

"...ET APRÈS !! QU'EST-CE QUE ÇA CHANGE ?"

PRÉSIDENT GRANT VISITS COLORADO

QU'EST-CE QUE ÇA CHANGE ?!... BON SANG TU AS LE CERVEAU GELÉ OU QUOI ?!... DEPUIS L'ASSASSINAT DE LINCOLN, LE PRÉSIDENT NE SE DÉPLACE PLUS QUE PRÉCÉDÉ D'UNE NUÉE DE POLICIERS ET DE SOLDATS !!...

"...ET DES CORIACES !!... DU GENRE QUI TIRE D'ABORD... TOUT LE COLORADO VA SE TRANSFORMER EN GUÊPIER DE PREMIÈRE CLASSE..."

ARION

BAH !... JUSTEMENT !... PERSONNE NE NOUS CROIRA ASSEZ STUPIDES POUR PRENDRE UN TEL CHEMIN !!...

J'AI APPRIS À ME MÉFIER DE CE GENRE DE RAISONNEMENT, KID !...

BLAKE NE VEUT PLUS DE NOUS ICI... EN FAIT, NOUS N'AVONS PAS LE CHOIX MONSIEUR,

JE T'AI CONNU MOINS FROUSSARD, MIKE !... À DURANGO, LA PLANQUE DE BLAKE EST SÛRE... VOUS POUVEZ Y ÊTRE AVANT L'ARRIVÉE DE GRANT ET VOUS Y TERRER JUSQU'À SON DÉPART...

29A

PLUS TARD, CE SOIR-LÀ...

POURQUOI TOUS CES MYSTÈRES ?!... D'APRÈS DUKE, TU VEUX ME VOIR SEUL ?!...

EXACT !... ET ARRÊTE DE FAIRE LA GUEULE... LA VENUE DE GRANT DANS LE COLORADO N'EST PAS UNE CATASTROPHE !!... C'EST MÊME, PEUT-ÊTRE, TA DERNIÈRE CHANCE DE SORTIR DU PÉTRIN...

AH OUAIS !!? LES PIEDS DEVANT, HEIN ?

NON !... MAIS BIEN RÉFLÉCHI À TON PROBLÈME !!... TU ES MAINTENANT MOUILLÉ DANS TROP DE SALES COUPS... TU NE POURRAS PLUS PROUVER TON INNOCENCE !!...

CONTINUE !!... TU ME REMONTES LE MORAL, MON CHOU !!...

JE NE VOIS QU'UN TRUC POUR T'ÉVITER LA CORDE !!... LA GRÂCE DU PRÉSIDENT... GRANT S'Y CONNAÎT EN HOMMES !... SI TU PEUX LUI PARLER, IL T'ÉCOUTERA !...

D'ACCORD... PUIS, ÉMU PAR LA SÉRIE D'INJUSTICES QUI S'EST ABATTUE SUR MOI, IL M'OFFRE LA VICE-PRÉSIDENCE DES ÉTATS-UNIS !...

TIENS... REGARDE CETTE JEUNE BEAUTÉ...

C'EST DÉJÀ FAIT, IDIOT !... C'EST MOI ! EN CE TEMPS-LÀ J'ÉTAIS UNE ACTRICE FÊTÉE, ADULÉE, POUR QUI TOUS LES HOMMES ÉTAIENT PRÊTS AUX PIRES FOLIES...

HEU !... JE COMMENCE À CROIRE QUE JE SUIS NÉ UN BON SIÈCLE TROP TARD !...

MMH... BEAU PETIT LOT... QUAND EST-CE QUE TU ME PRÉSENTES ?...

TU NE CROIS PAS SI BIEN DIRE, PETIT SALAUD! A L'ÉPOQUE, TU M'AURAIS FILÉ LE TRAIN COMME LES AUTRES!!

ALLEZ!! NE T'EMBALLE PAS MON LAPIN! ET CONTINUE... TU AS UNE... IDÉE DERRIÈRE LA TÊTE, HEIN?!...

UN JOUR, IL Y A VINGT ANS, AU HASARD D'UNE TOURNÉE DANS L'EST, LE COMMANDANT D'UNE GARNISON EST TOMBÉ FOLLEMENT AMOUREUX DE MOI... UN BLANC-BEC DE TON ÂGE... IL ÉTAIT PRÊT À M'ÉPOUSER!

UN INCONSCIENT, IL A DÛ MAL FINIR...

PAUVRE TYPE, VA!... TIENS!... REGARDE S'IL A MAL FINI!...

GOOD LORD!... LE PRÉSIDENT GRANT!!

To Guffie My Precious Love Ulisses Grant

EH OUI!... QUAND JE L'AI QUITTÉ, J'AI DÛ L'EMPÊCHER DE DÉSERTER! CE FOU VOULAIT NOUS SUIVRE DANS LA TROUPE! DIEU, QUEL BON ACTEUR IL AURAIT FAIT! EN TOUT CAS, CETTE CARTE DE VISITE TE VAUDRA UNE AUDIENCE DE GRANT!... SÛR!...

PAS SI C'EST MOI QUI LA LUI PRÉSENTE... TU T'EN DOUTES BIEN...

BAH... SI TU ME PROMETS D'ÊTRE PLUS POLI AVEC MOI... JE FERAI PEUT-ÊTRE ENCORE ÇA POUR TOI... J'AI JAMAIS RIEN SU TE REFUSER...

MERCI GUFFIE! T'ES UNE VRAIE MÈRE POUR MOI...

ESPÈCE DE...

BYE BYE! À DEMAIN!

C'EST ÇA QUE TU APPELLES ÊTRE POLI?

LE LENDEMAIN MATIN...

BLAKE S'IMPATIENTE, MILITAIRE! GUFFIE ET LE PIED-TENDRE SONT DÉJÀ EN BAS... ET PAS LA PEINE DE BOUCLER TES ÉPERONS, AH, AH!...

QU'EST-CE QUE C'EST, TOUS CES BAGAGES?!

LA GARDE-ROBE, "SI J'OSE DIRE" DE TON COMPAGNON DE ROUTE... ENFIN... QUAND JE DIS "COMPAGNON" HA HA!!

HELLO BLUEBERRY!... ON N'ATTEND PLUS QUE TOI!...

TU TE TASSERAS DANS LE COFFRE, SOUS LE SIÈGE!... À CAUSE DES CONTRÔLES!

PARFAIT... COMME ÇA, EN CAS DE COUP DUR, JE SERAI PIÉGÉ COMME UN RAT! ET LE GOSSE... OÙ EST-IL? JE... HEY!... IL N'ÉTAIT PAS QUESTION D'EMMENER UNE FEMME AVEC NOUS!...

HA, HA, HA... COUREUR COMME TU ES, J'AI PRÉFÉRÉ NE PAS TE PRÉVENIR... HA, HA... VIENS... JE VAIS TE PRÉSENTER MA NIÈCE...

ENCHANTÉE DE VOUS CONNAÎTRE, MON-SIEUR !...

MOI J'AURAIS PRÉFÉRÉ BLUEBERRY DANS LE RÔLE DE LA NIÈCE ! C'AURAIT ÉTÉ NETTEMENT PLUS DRÔLE !...

MARMADUKE !...

ET SI JE TE FAIS JOUER LE RÔLE DU GARS QUI MANGE SON CHAPEAU, CE SERA DRÔLE ?...

BAAH !...

ÇA VA BLUEBERRY ! FOURRE-TOI DANS LE COFFRE ET N'EN PARLONS PLUS !...

HEY !... JE NE POURRAI PLUS JAMAIS ME DÉPLIER !... FALLAIT CARRÉMENT M'ENVOYER PAR LA POSTE !...

NAVRÉ... MAIS C'ÉTAIT LE SEUL SYS-TÈME... SUR... BAISSE -LA TÊTE !...

BON... ALORS BONNE ROUTE !... DUKE, SI ON T'INTERPELLE TU LAISSES RÉPONDRE GUFFIE... S'IL Y A DU DANGER, TU T'ÉVANOUIS... COMPRIS ?... ET BON SANG, CACHE TES BOTTES SOUS TES JUPES !...

ET C'EST PARTI !...

FAITES LE TOUR DE LA VILLE ! ÇA NOUS ÉVITERA PEUT-ÊTRE LES PA-TROUILLES !...

EN SELLE LES GARS ! Y EN A QUI ESSAYENT DE SE DÉFILER PAR LE NORD !...

KPAW

HALTE !

HELL ! UNE PATROUILLE ! ET ON N'A PAS FAIT UN MILE !...

ÇA COMMENCE BIEN !...

YAOU !...

DAMN !... SAOULS COMME DES VACHES !...

HYAHA !

PIED À TERRE LES POULETTES... ON A ORDRE DE TOUT FOUILLER !...

HÉÉÉÉÉ ! MAIS... C'EST GUFFIE ! DE LA "MAISON DES ANGES"...

AVEC UNE DE SES "NIÈCES" HI, HI, HI !...

EXACTEMENT ! PAS D'IVROGNES !... C'EST MA NIÈCE KATE QUE JE RA-MÈNE À TAOS ! ELLE EST SOUF-FRANTE ! LAISSEZ-NOUS PASSER !...

 SACREMENT DÉSOLÉ QU'UNE SI RAVISSANTE POULETTE SOIT SOUFFRANTE, M'AME! MAIS LES ORDRES SONT LES ORDRES!..

 VOUS ALORS,, ON PEUT DIRE QUE VOUS SAVEZ PARLER AUX FEMMES! HM.. M'AIDEREZ-VOUS À DESCENDRE, BEAU MILITAIRE!..

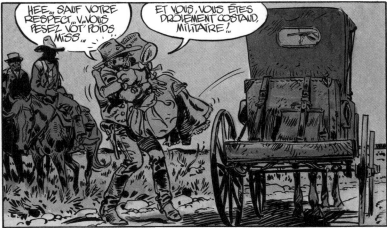 HÉE,, SAUF VOTRE RESPECT,, V..VOUS PESEZ VOT' POIDS MISS,,

ET VOUS, VOUS ÊTES DROLEMENT COSTAUD, MILITAIRE!..

 ET VOUS SAVEZ QUOI? EH BIEN MOI, J'AIME LES MILITAIRES!.. SURTOUT QUAND ILS SONT COSTAUDS.. TENEZ.. JE VAIS VOUS CONFIER UN SECRET...

A..ALLEZ-Y C..CONFIEZ!

 BZZZ BZZZ BZ ZZZ

 M'AME ,, C'EST UN HONNEUR DE VOUS AVOIR CONNUES, VOUS ET VOT' NIÈCE,,, IL ME RESTE PLUS QU'À VOUS SOUHAITER UNE BONNE ROUTE,,

?

 VOUS ÊTES FOU D'AVOIR PRIS UN TEL RISQUE!.. QUE LUI AVEZ-VOUS DIT,, POUR QU'IL RENONCE À FOUILLER LA VOITURE...

HEY!.. QU'EST-CE QUE C'ÉTAIT? SORTEZ-MOI DE LÀ-DEDANS, BON DIEU!..

ILS S'EN VONT!..

JE LUI AI DIT QUE S'IL RENONÇAIT, NOUS SERIONS PLUS VITE DE RETOUR EN VILLE... CE QUI NOUS DONNAIT UNE CHANCE...

 UNE CHANCE DE QUOI, BON SANG!.. ET REMETTEZ CE CABRIOLET, IL FAUT LE GARDER JUSQU'À ESPANOLA!

MAIS,, UNE CHANCE D'AVOIR UN RENDEZ-VOUS,, PARDI,, COMME DANS "ROMÉO ET JULIETTE"!..

J'ÉTOUFFE! ET J'AI MES ÉPERONS QUI ME RENTRENT DANS LES FESSES

 TRÈS JOLI!.. ET JE RECONNAIS QUE VOUS ÉTIEZ PARFAIT DANS LE RÔLE DE JULIETTE!..

UN PEU DE PATIENCE Mⁿᵉ BLUE-BERRY!..

UN PEU DE PATIENCE?! PFFFF...

 JUSQU'AU SOIR, LA CARRIOLE S'ENFONCE À TRAVERS LES COLLINES, PAR D'ANCIENNES PISTES ABANDONNÉES...

ON VA CAMPER ICI!.. NOUS SERONS AU RENDEZ-VOUS DEMAIN, VERS MIDI...

 DAMN!.. JE N'AI PLUS UN SEUL OS AU BON ENDROIT...

DÉTELLE LES BÊTES ET ALLUME LE FEU! ÇA TE LES REMETTRA EN PLACE!

ET MOI, JE VAIS ME DÉGOURDIR UN PEU LES JAMBES!

 MINUTE!.. PRENEZ ÇA... LA RÉGION EST MAL FRÉQUENTÉE, VOUS SAVEZ EN SER-VIR, AU MOINS...

BIEN SÛR QUE JE SAIS... POUR QUI ME PRENEZ-VOUS!..

HÉ! IL TE FAUT TA BOÎTE À VIOLON POUR T'ENTRAÎNER?

MAINTENANT, TU COMPRENDS POURQUOI IL FALLAIT ABSOLUMENT UN PROTECTEUR À CE GARÇON!

OUI MONSIEUR! RIEN DE TEL QUE LA MUSIQUE POUR SE REPOSER DU VACARME DES DÉTONATIONS...

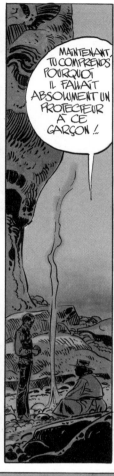

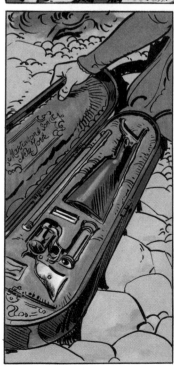

PAW PAW PAW PAW

COMPTE-TENU DU VENT, CE N'EST PAS UN TROP MAUVAIS CARTON...

NOUS VOICI ENFIN SEULS ET TRANQUILLES... ÇA FAIT UN BOUT DE TEMPS QUE J'ATTENDS QUE LE MOMENT SE PRÉSENTE...

POURQUOI? TU VEUX ME DEMANDER MA MAIN, HONEY?...

TU NE CROIS PAS QUE TU ME DOIS UNE EXPLICATION?...

PAS LA PEINE, DARLING... J'ACCEPTE DE T'ÉPOUSER!

OK!.. ON VERRA ÇA PLUS TARD!.. TU AS TENTÉ DE ME PRÉVENIR DE QUELQUE CHOSE, LE SOIR DE MON ARRIVÉE, ET SANS BLAKE, JE SERAIS LOIN EN CE MOMENT... DEPUIS, TU TE TAIS, TU AS PEUR!.. PARLE!.. DE QUOI VOULAIS-TU ME SAUVER? PARLE!.. C'EST LE MOMENT!..

LAISSE-MOI TRANQUILLE, MIKE! LAISSE TRANQUILLE LA GROSSE GUFFIE!.. TOUT CE QU'ELLE DEMANDE, C'EST DE VIEILLIR TRANQUILLEMENT!..

OK!..

O.K!..

OK, GUFFIE, VIEILLIS TRANQUILLE!.. SI BLAKE TE LE PERMET!.. MOI, JE FILE!.. TU EXPLIQUERAS A "ANGEL FACE"...

MIKE! TU NE VAS PAS FAIRE ÇA!..

SI BLAKE APPREND QUE JE T'AI LAISSÉ PARTIR, IL ME TUERA!.. ET TOI IL TE RATTRAPERA OU TE DÉNONCERA!..

BAH!..

MIKE! D'UNE MANIÈRE OU D'UNE AUTRE TU VAS DESCENDRE DE CE CHEVAL!..

VAS-Y! NE TE GÊNE PAS!.. TIRE!.. TU TOUCHERAS MÊME UNE JOLIE PRIME!.. MAIS APRÈS AVOIR FLANQUÉ SON PLAN PAR TERRE, JE DOUTE QUE BLAKE TE LAISSE LE LOISIR D'EN PROFITER!..

DÉMON! TU SAIS QUE TU ME TIENS, HEIN?.. OK... JE VAIS PARLER...

PERSONNE N'EN SAURA RIEN, GUFFIE! ET TU PEUX COMPTER SUR MOI. JE NE TE LAISSERAI PAS TOMBER!..

ALORS?...

JE NE SAIS PAS GRAND-CHOSE HÉLAS... MAIS J'EN AI DEVINÉ PAS MAL... J'IGNORE LE BUT DE TOUT CE QUI SE TRAME, MAIS C'EST MACHINÉ AU QUART DE POIL... ET TOUT SE DÉROULE COMME PRÉVU!...

TOI QU'ES AU CENTRE... MANIPULÉ À TON INSU!... ÇA A COMMENCÉ LE JOUR OÙ BLAKE S'EST AMENÉ, LA BOUCHE EN CŒUR, À LA "MAISON DES ANGES"!...

IL CHERCHAIT UNE PLANQUE SÛRE, NI TROP PRÈS NI TROP LOIN DU CHEMIN DE FER, POUR PRÉPARER L'ATTAQUE DU TRAIN... IL M'OFFRAIT UNE PART DU BUTIN TELLEMENT AVANTAGEUSE QUE J'AI PAS EU LE CŒUR À REFUSER!...

HELLO TENNESSEE!...

HELLO MORT! TOUJOURS AUSSI PONCTUEL!... BRAVO!...

ON A FERMÉ LA BOÎTE! ET UN SOIR, LE RESTE DE LA BANDE À DÉBARQUÉ... RIEN QUE DES GARS DE L'EST OU DU NORD... INCONNUS DANS LA RÉGION... C'EST PEU APRÈS QUE J'AI APPRIS LA PREMIÈRE CHOSE LOUCHE... **BLAKE SAVAIT QUE NOUS NOUS CONNAISSIONS!**

QUOI? TU ME FERAS JAMAIS AVALER UN TRUC AUSSI ÉNORME

IL FAUDRA BIEN, JE LES AI VUS MONTER MINUTIEUSEMENT LE COUP DU TRAIN...... LE TRAIN DANS LEQUEL BLAKE AVAIT ÉTÉ **PRÉVENU** QUE TU TE TROUVERAIS!...

LE VRAI BUT DE CE HOLD-UP ÉTAIT TA DÉLIVRANCE!... MAIS ÇA, BIEN SÛR, SEUL BLAKE LE SAVAIT!... MÊME PAYÉS CHER, JAMAIS SES HOMMES N'AURAIENT MARCHÉ SANS L'APPÂT DES 150,000 DOLLARS... D'AILLEURS BLAKE LUI-MÊME N'EST PAS LE GARS QUI CRACHE SUR L'OR!...

SI JE COMPRENDS BIEN, ON AURAIT FAIT EN SORTE QUE JE VOYAGE DANS LE MÊME TRAIN QUE L'ARGENT DESTINÉ AUX BANQUES...

BRAVO... TU ES SUR LA BONNE VOIE... MAIS ATTENDS, CE N'EST PAS FINI...

...POUR QUE TU NE SOUPÇONNES RIEN DE LA MACHINATION, BLAKE T'A LAISSÉ FILER SITÔT LIBÉRÉ... SACHANT BIEN QUE TU TE PRÉCIPITERAIS TOUT DROIT CHEZ MOI...

CONTINUE...

...CAR ÇA AUSSI, MON JOLI, C'ÉTAIT PRÉVU!... ON T'AVAIT SOUFFLÉ MON ADRESSE, EN MÊME TEMPS QU'ON T'ACCULAIT À T'ÉVADER ET QU'ON T'INDIQUAIT COMMENT T'Y PRENDRE...

VOILÀ... C'EST TOUT CE QUE JE SAIS, MIKE... PAROLE!... D'UN BOUT À L'AUTRE, TU AS ÉTÉ MANŒUVRÉ COMME UN PION... QUANT À SAVOIR POURQUOI ET PAR QUI... MYSTÈRE!...

PAR QUI?... MOI JE LE SAIS!...

UN SEUL HOMME ÉTAIT EN MESURE DE MONTER CES PIÈGES SUCCESSIFS AUTOUR DE MOI... ET LUI SEUL AVAIT LE POUVOIR DE CHOISIR LA DATE DE MON TRANSFERT EN TRAIN...

ET CET HOMME, C'EST KELLY !... LE COMMANDANT DU PÉNITENCIER DE FRANCISVILLE...

ET MOI QUI AI FAIT CONFIANCE À CARTRIDGE... PARDI ! KELLY A DÛ LUI PROMETTRE LA LIBERTÉ, ET L'AUTRE S'EST LAISSÉ ACHETER

TU SAIS, LA LIBERTÉ, C'EST UNE SACRÉE PRIME QUAND ON MOISIT EN TAULE...

UNE SEULE CHOSE M'INTRIGUE: POURQUOI DIABLE KELLY N'A-T-IL PAS TOUT SIMPLEMENT FAVORISÉ MON ÉVASION DU PÉNITENCIER?

C'ÉTAIT PLUS RISQUÉ! TU POUVAIS ÊTRE REPRIS... ET SURTOUT JE PENSE QU'IL ÉTAIT ESSENTIEL QU'ON NE PUISSE SOUPÇONNER L'ORGANISATEUR DE TA FUITE...

DAMN!... SI C'EST KELLY QUI TIRE LES FICELLES, POURQUOI? CE N'EST TOUT DE MÊME PAS SEULEMENT POUR ME FAIRE JOUER LES NOUNOUS AUPRÈS D'ANGEL FACE...

PAW PAW PAW

TIENS... LE VOILÀ JUSTEMENT QUI REMET ÇA!...

37A

PAW PAW PAW

"J'AVAIS OUBLIÉ DE VIDER LEUR PÉTOIRE..."

MOI JE NE L'ATTENDS PAS!... J'AI FAIM!...

P'T'ÊTRE BIEN QUE KELLY ET BLAKE ONT EUX AUSSI DES VUES SUR LE TRÉSOR DES CONFÉDÉRÉS ET QU'ILS T'ONT LIBÉRÉ DANS L'ESPOIR QUE TU LES CONDUISES JUSQU'À LA CACHETTE DU MAGOT...(*)

(*) VOIR "L'HOMME QUI VALAIT 500 000 DOLLARS"

EN CE CAS, ANGEL FACE EST PROBABLEMENT L'ESPION CHARGÉ DE ME SURVEILLER... ÇA EXPLIQUERAIT LEUR INSISTANCE POUR QUE JE LE FASSE MOI-MÊME PASSER AU MEXIQUE!...

DUKE !?... UN ESPION ?!... UN GOSSE INCAPABLE DE TENIR UN COLT ?!... TU FAIS FAUSSE ROUTE, MIKE! TOUT CELA CACHE AUTRE CHOSE... JE LE SENS...

OUAIS... EN ATTENDANT, LE MIEUX SERAIT DE METTRE LE PLUS DE DISTANCE POSSIBLE ENTRE CES RASCALS ET NOUS... ET JE T'EMMÈNE, GUFFIE!...

HEIN ?!... ET... ET DUKE ?...

HELLO!

37B

61

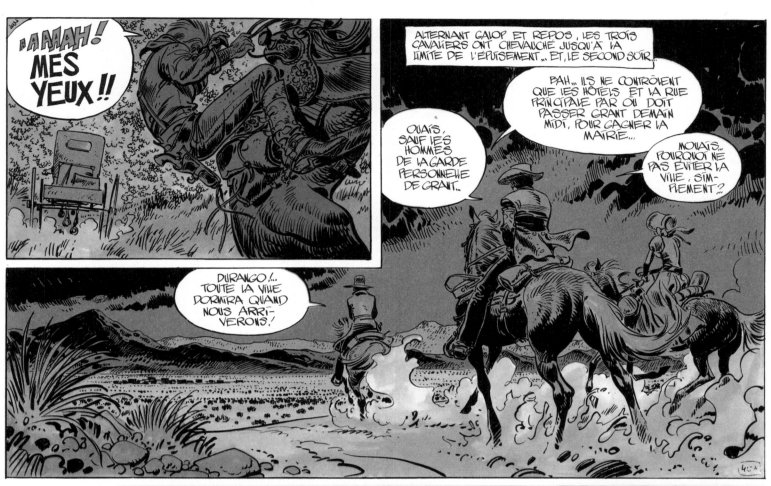

AAAH! MES YEUX!!

ALTERNANT GALOP ET REPOS, LES TROIS CAVALIERS ONT CHEVAUCHÉ JUSQU'À LA LIMITE DE L'ÉPUISEMENT... ET, LE SECOND SOIR...

BAH... ILS NE CONTRÔLENT QUE LES HÔTELS ET LA RUE PRINCIPALE PAR OÙ DOIT PASSER GRANT DEMAIN MIDI, POUR GAGNER LA MAIRIE...

OUAIS, SAUF LES HOMMES DE LA GARDE PERSONNELLE DE GRANT.

MOUAIS... POURQUOI NE PAS ÉVITER LA VILLE, SIMPLEMENT?

DURANGO!... TOUTE LA VILLE DORMIRA QUAND NOUS ARRIVERONS!

MAIS LA QUESTION DE BLUEBERRY RESTE SANS RÉPONSE... ET, VERS DEUX HEURES DU MATIN, LES TROIS CAVALIERS PÉNÈTRENT DANS DURANGO PAR DES RUELLES DÉTOURNÉES ET ABSOLUMENT DÉSERTES.

TU VOIS?! PAS UN CHAT!

NOUS VOICI ARRIVÉS!... MAIS L'ENTRÉE EST LÀ-HAUT... VA FALLOIR FAIRE UN PEU D'EXERCICE! PAR CONTRE...

... VOUS SEREZ AUX PREMIÈRES LOGES POUR VOIR LE PRÉSIDENT DEMAIN.

♪

QUI EST LÀ-HAUT?

UN AMI!... T'EN FAIS PAS, MILITAIRE, À TOI L'HONNEUR! TU VAS AVOIR UNE BONNE SURPRISE!

!?

QUOI? MAIS... C'EST... C'EST...

MALHEUREUSEMENT POUR TOI, TU NE POURRAS PAS ÉVOQUER CE JOLI SOUVENIR DANS LES BARS CAR... **TU MEURS AU SECOND ACTE!** TOUT DE SUITE APRÈS GRANT!... TU MEURS, ABATTU COMME UN CHIEN ENRAGÉ, PAR DE BONS CITOYENS QUI DÉBOUCHERONT PAR CETTE TRAPPE, CAR POUR TOUT LE MONDE, L'ASSASSIN DE GRANT, CE SERA **TOI!**

"VOILÀ DONC LE FIN MOT DE TOUTES LES MANIGANCES DE BLAKE..."

BIEN ENTENDU, POUR RATÉ QU'IL N'Y AIT PAS DE RATÉ, NOUS T'ASSOMMERONS AVANT, ET LES PREMIERS CITOYENS À TE TOMBER DESSUS SERONT DES HOMMES À MOI, ILS OCCUPENT LES CHAMBRES LES PLUS PROCHES DE L'ESCALIER MENANT À CE GRENIER, À L'ÉTAGE EN DESSOUS!..

JE COMMENÇAIS À EN AVOIR MARRE DE CES FRINGUES DE BONNE FEMME!

"PUIS NOUS FILERONS PAR OÙ VOUS ÊTES ENTRÉS TOUT À L'HEURE... DOG NOUS ATTENDRA EN BAS AVEC DES CHEVAUX...

ET TOI, ANGEL FACE, QU'EST-CE QUE TU FOUS DANS CETTE GALÈRE?..

OH, MOI... JE NE SUIS PAS LE TIREUR D'ÉLITE! C'EST **MOI QUI ABATTRAI GRANT**, MR BLUEBERRY!..

EXACT... JE DOIS DIRE QUE NOUS LE PAYONS FORT CHER POUR ÇA!..

EN CE CAS, C'EST DE L'ARGENT CARRÉMENT FICHU EN L'AIR... VOTRE "TIREUR D'ÉLITE" RATERAIT UN BISON À TROIS PAS!..

AVEC UN SIX-COUPS NORMAL, PEUT-ÊTRE... C'EST UNE ARME DE HANCHE GROSSIÈRE!... MAIS PAS AVEC CECI! AVEC CETTE MERVEILLE, JE FOUDROIE UNE MOUCHE À SIX CENTS PAS...

...IL N'Y A PROBABLEMENT PAS UNE ARME SEMBLABLE DANS TOUTE L'UNION, C'EST UN VRAI MIRACLE DE PRÉCISION, FABRIQUÉ SPÉCIALEMENT POUR MOI EN BELGIQUE!

PARFAIT!.. COMME ÇA, TON CRIME SERA SIGNÉ, DEVIL FACE!

NO SIR! CETTE ARME TIRE D'ANONYMES ET VULGAIRES BALLES DE COLT!..

HA! HA! HA!

PAW!

ÇA VA COMME ÇA VOUS DEUX!.. ANGEL FACE! VA DORMIR! TU DOIS ÊTRE EN FORME POUR DEMAIN... QUANT À TOI, "PIGEON" TA DERNIÈRE NUIT SERA LONGUE... "GRANT N'ARRIVE QUE DEMAIN MIDI!..

DANS L'IMMENSE ET GLACIAL GRENIER, UNE MORTELLE ET INTERMINABLE NUIT D'ANGOISSE A COMMENCÉ POUR BLUEBERRY, ENTRAVÉ ET ÉTROITEMENT SURVEILLÉ PAR KELLY...

J'AIMERAIS NE PAS MOURIR IDIOT, KELLY!.. QUE SIGNIFIE TOUTE CETTE HISTOIRE?.. ET **POURQUOI MOI?** N'IMPORTE QUEL IMBÉCILE AURAIT FAIT L'AFFAIRE, NON?

NON!... IL FAUT QUE L'ATTENTAT S'EXPLIQUE PAR UN MOTIF **CLAIR! INDISCUTABLE!**... CAPABLE EN TOUT CAS D'AVEUGLER D'ÉVENTUELS FOUINEURS!...

OFFICIER INDISCIPLINÉ, COLÉREUX, MAL NOTÉ... DÉJÀ INCULPÉ DE VOL... ÉVADÉ DU BAGNE... COMPLICE D'UNE ATTAQUE DE TRAIN... PRÊT À TOUT POUR SE VENGER D'UNE CONDAMNATION QU'IL CONSIDÈRE COMME INJUSTE!.. AVOUE-LE: **TU FAIS UN COUPABLE IDÉAL!**

N'IMPORTE QUI ADMETTRA QUE TA SOIF DE VENGEANCE AIT PU TE RAMOLLIR LA CERVELLE AU POINT D'ASSASSINER TON ANCIEN GÉNÉRAL EN CHEF...

J'AVOUE QUE C'EST UNE BELLE COMBINE !.. ET QU'EST-CE QUE ÇA VOUS RAPPORTE ?..

PENDANT LA GUERRE CIVILE, PUIS DANS SA COURSE À LA PRÉSIDENCE, GRANT A PASSÉ SUR LE VENTRE DE PAS MAL DE GENS... ET DU GROS FRETIN !.. SANS PARLER DES SUDISTES... TOUJOURS EST-IL QU'IL Y A UN COMPLOT POUR S'EMPARER DU POUVOIR !.. ET J'EN SUIS !.. DEPUIS QUE GRANT M'A ENVOYÉ POURRIR À FRANCISVILLE !..

TIENS, C'EST CURIEUX !.. IL M'A SEMBLÉ QUE C'ÉTAIT PLUTÔT LES PRISONNIERS QUI POURRISSAIENT...

L'ASSASSINAT DE DEUX PRÉSIDENTS COUP SUR COUP AFFOLERA L'OPINION ET LUI FERA ACCEPTER, SANS TROP DE DOULEUR, L'IDÉE D'UNE DICTATURE MILITAIRE.

UNE DICTATURE MILITAIRE ?.. JAMAIS L'ARMÉE NE...

L'ARMÉE ?!.. HA HA HA... ELLE A ÉTÉ SAIGNÉE À BLANC !.. MAINTENANT, ELLE EST LASSE, SANS AUCUNE ENVIE D'ENTAMER UNE NOUVELLE GUERRE CIVILE !.. ELLE PLÉBISCITERA UN SOLDAT PRESTIGIEUX ET ADORÉ DE SES HOMMES.

QUI ?

..."ET LES "BONS CITOYENS" À VOTRE SOLDE M'ABATTENT APRÈS M'AVOIR SOI-DISANT SURPRIS EN FLAGRANT DÉLIT. APRÈS QUOI, TOUT LE MONDE MET CETTE EXÉCUTION SOMMAIRE SUR LE COMPTE DE LEUR LÉGITIME COLÈRE...

..."EH BIEN NAVRÉ, KELLY !.. MAIS J'AI PAS DU TOUT L'INTENTION DE ME PRÊTER À CETTE MASCARADE...

J'AI PEUR QUE TU N'AIES PLUS GUÈRE LE CHOIX, BLUEBERRY... TU ES DÉJÀ AUSSI MORT QUE SI TU ÉTAIS SIX PIEDS SOUS TERRE...

HA HA... TU ES UN PEU TROP CURIEUX, L'AMI !..

VOIS-TU, L'IMPORTANT EST QU'AUCUN SOUPÇON NE PUISSE PESER SUR NOTRE CHEF NI SUR NOTRE ORGANISATION...

ET C'EST POUR ÇA QUE JE SUIS LÀ !..

EXACT !.. JE VAIS T'EXPLIQUER COMMENT LES CHOSES VONT SE DÉROULER. DUKE DESCEND LE PRÉSIDENT, NOUS T'ASSOMMONS... NOUS DISPARAISSONS APRÈS T'AVOIR COLLÉ DANS LES MAINS L'ARME DU CRIME.

CETTE SINISTRE PERSPECTIVE N'A NULLEMENT EMPÊCHÉ BLUEBERRY DE DORMIR DU SOMMEIL DU JUSTE... ET, LE LENDEMAIN MATIN...

EN FORME DUKE ? TOUT VA BIEN ! DEPUIS L'AUBE, LA VILLE GROUILLE DE GENS VENUS ACCLAMER LE PRÉSIDENT... CETTE FOULE FACILITERA NOTRE FUITE...

OK... JE SUIS PRÊT !

À TA PLACE, ANGEL FACE, JE M'Y FIERAIS PAS... CES COYOTES TIENNENT TROP À LEUR SECRET POUR LAISSER VIVANT UN TÉMOIN TEL QUE TOI !

INUTILE D'ESSAYER DE M'IMPRESSIONNER, Mr BLUEBERRY ! JE NE SUIS PAS COMPLÈTEMENT IDIOT... J'AI PRIS MES PRÉCAUTIONS EN CAS DE MALHEUR ET MES EMPLOYEURS LE SAVENT !... N'EST-CE PAS, KELLY ?!

GRANT TE PAIERAIT LE TRIPLE POUR LA DÉNONCIATION DE CE COMPLOT...

PEUT-ÊTRE... MAIS UN CONTRAT EST UN CONTRAT Mr BLUEBERRY !

SHUT UP, SUCKER... N'ESSAYE PLUS DE DÉMORALISER DUKE OU JE TE DESCENDS TOUT DE SUITE !

À QUOI BON VOUS ÉNERVER, KELLY ?!

UNE À UNE, LES HEURES DE LA MATINÉE S'ÉGRÈNENT

LA FOULE S'AMASSE DE PLUS EN PLUS ET LE SERVICE D'ORDRE DEVIENT NERVEUX... GRANT NE DOIT PLUS ÊTRE LOIN !

44 A

EN EFFET, IGNORANT QU'AU BOUT DE LA GRAND-RUE OÙ VIENT DE S'ENGAGER LE CORTÈGE PRÉSIDENTIEL, UN TIREUR INFAILLIBLE L'ATTEND, LE PRÉSIDENT GRANT VIENT DE PÉNÉTRER DANS DURANGO SOUS LES OVATIONS...

COMMENT BLUEBERRY POURRAT-IL FAIRE ÉCHOUER LE MONSTRUEUX COMPLOT DONT IL EST LE BOUC ÉMISSAIRE ? RÉUSSIRA-T-IL À DÉJOUER LES PLANS DU COMMANDANT KELLY ET D'ANGEL FACE, LE TIREUR D'ÉLITE ?! QUI EST LE MYSTÉRIEUX CHEF DE LA CONSPIRATION ?! VOUS LE SAUREZ EN LISANT LE PROCHAIN ÉPISODE DE CETTE SÉRIE !

SALOON

GROCERY Mc CREA GROCERY

WELCOME

ARCADE MUSIC HALL

PRESIDENT GRANT

ANGEL FACE

Page d'annonce inédite d'Angel Face.

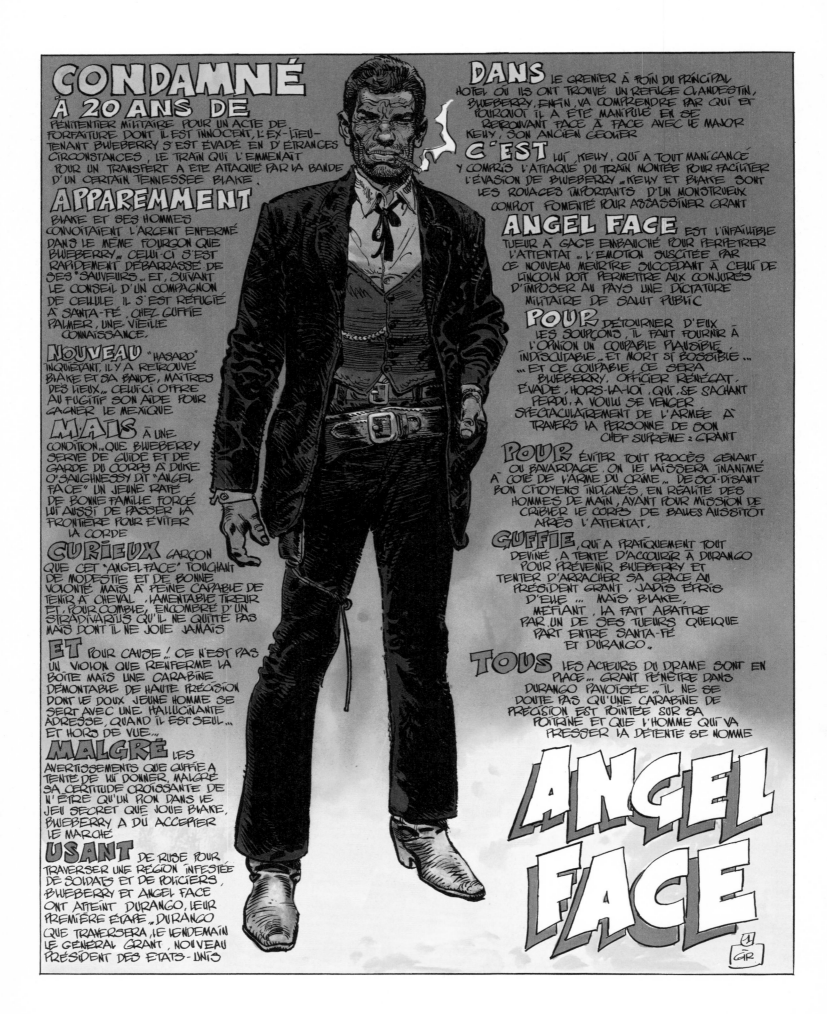

CONDAMNÉ À 20 ANS DE PÉNITENTIER MILITAIRE POUR UN ACTE DE FORFAITURE DONT IL EST INNOCENT, L'EX-LIEU-TENANT BLUEBERRY S'EST ÉVADÉ EN D'ÉTRANGES CIRCONSTANCES. LE TRAIN QUI L'EMMENAIT POUR UN TRANSFERT A ÉTÉ ATTAQUÉ PAR LA BANDE D'UN CERTAIN TENNESSEE BLAKE.

APPAREMMENT BLAKE ET SES HOMMES CONVOITAIENT L'ARGENT ENFERMÉ DANS LE MÊME FOURGON QUE BLUEBERRY. CELUI-CI S'EST RAPIDEMENT DÉBARRASSÉ DE SES "SAUVEURS" ET, SUIVANT LE CONSEIL D'UN COMPAGNON DE CELLULE IL S'EST RÉFUGIÉ À SANTA-FÉ, CHEZ GUFFIE PALMER, UNE VIEILLE CONNAISSANCE.

NOUVEAU "HASARD" INQUIÉTANT, IL Y A RETROUVÉ BLAKE ET SA BANDE, MAÎTRES DES LIEUX. CELUI-CI OFFRE AU FUGITIF SON AIDE POUR GAGNER LE MEXIQUE

MAIS À UNE CONDITION. QUE BLUEBERRY SERVE DE GUIDE ET DE GARDE DU CORPS À DUKE O'SAUGHNESSY DIT "ANGEL FACE", UN JEUNE RATÉ DE BONNE FAMILLE FORCÉ LUI AUSSI DE PASSER LA FRONTIÈRE POUR ÉVITER LA CORDE

CURIEUX GARÇON QUE CET "ANGEL FACE" TOUCHANT DE MODESTIE ET DE BONNE VOLONTÉ MAIS À PEINE CAPABLE DE TENIR À CHEVAL, LAMENTABLE TIREUR ET, POUR COMBLE, ENCOMBRÉ D'UN STRADIVARIUS QU'IL NE QUITTE PAS MAIS DONT IL NE JOUE JAMAIS

ET POUR CAUSE ! CE N'EST PAS UN VIOLON QUE RENFERME LA BOÎTE MAIS UNE CARABINE DÉMONTABLE DE HAUTE PRÉCISION DONT LE DOUX JEUNE HOMME SE SERT AVEC UNE HALLUCINANTE ADRESSE, QUAND IL EST SEUL... ET HORS DE VUE...

MALGRÉ LES AVERTISSEMENTS QUE GUFFIE A TENTÉ DE LUI DONNER, MALGRÉ SA CERTITUDE CROISSANTE DE N'ÊTRE QU'UN PION DANS LE JEU SECRET QUE JOUE BLAKE, BLUEBERRY A DÛ ACCEPTER LE MARCHÉ

USANT DE RUSE POUR TRAVERSER UNE RÉGION INFESTÉE DE SOLDATS ET DE POLICIERS, BLUEBERRY ET ANGEL FACE ONT ATTEINT DURANGO, LEUR PREMIÈRE ÉTAPE. DURANGO QUE TRAVERSERA, LE LENDEMAIN LE GÉNÉRAL GRANT, NOUVEAU PRÉSIDENT DES ÉTATS-UNIS

DANS LE GRENIER À FOIN DU PRINCIPAL HÔTEL OÙ ILS ONT TROUVÉ UN REFUGE CLANDESTIN, BLUEBERRY, ENFIN, VA COMPRENDRE PAR QUI ET POURQUOI IL A ÉTÉ MANIPULÉ EN SE RETROUVANT FACE À FACE AVEC LE MAJOR KELLY, SON ANCIEN GEÔLIER

C'EST LUI, KELLY, QUI A TOUT MANIGANCÉ Y COMPRIS L'ATTAQUE DU TRAIN MONTÉE POUR FACILITER L'ÉVASION DE BLUEBERRY. KELLY ET BLAKE SONT LES ROUAGES IMPORTANTS D'UN MONSTRUEUX COMPLOT FOMENTÉ POUR ASSASSINER GRANT

ANGEL FACE EST L'INFAILLIBLE TUEUR À GAGE EMBAUCHÉ POUR PERPÉTRER L'ATTENTAT. L'ÉMOTION SUSCITÉE PAR CE NOUVEAU MEURTRE SUCCÉDANT À CELUI DE LINCOLN DOIT PERMETTRE AUX CONJURÉS D'IMPOSER AU PAYS UNE DICTATURE MILITAIRE DE SALUT PUBLIC

POUR DÉTOURNER D'EUX LES SOUPÇONS, IL FAUT FOURNIR À L'OPINION UN COUPABLE PLAUSIBLE INDISCUTABLE. ET MORT SI POSSIBLE... ET CE COUPABLE, CE SERA BLUEBERRY, OFFICIER RENÉGAT, ÉVADÉ, HORS-LA-LOI, QUI, SE SACHANT PERDU, A VOULU SE VENGER SPECTACULAIREMENT DE L'ARMÉE À TRAVERS LA PERSONNE DE SON CHEF SUPRÊME : GRANT

POUR ÉVITER TOUT PROCÈS GÊNANT, OU BAVARDAGE, ON LE LAISSERA INANIMÉ À CÔTÉ DE L'ARME DU CRIME... DE SOI-DISANT BON CITOYENS INDIGNÉS, EN RÉALITÉ DES HOMMES DE MAIN, AYANT POUR MISSION DE CRIBLER LE CORPS DE BALLES AUSSITÔT APRÈS L'ATTENTAT.

GUFFIE, QUI A PRATIQUEMENT TOUT DEVINÉ, A TENTÉ D'ACCOURIR À DURANGO POUR PRÉVENIR BLUEBERRY ET TENTER D'ARRACHER SA GRACE AU PRÉSIDENT GRANT, JADIS ÉPRIS D'ELLE... MAIS BLAKE, MÉFIANT, LA FAIT ABATTRE PAR UN DE SES TUEURS QUELQUE PART ENTRE SANTA-FÉ ET DURANGO.

TOUS LES ACTEURS DU DRAME SONT EN PLACE... GRANT PÉNÈTRE DANS DURANGO PAVOISÉE... IL NE SE DOUTE PAS QU'UNE CARABINE DE PRÉCISION EST POINTÉE SUR SA POITRINE ET QUE L'HOMME QUI VA PRESSER LA DÉTENTE SE NOMME

ANGEL FACE

ENCORE QUELQUES MÈTRES ET JE L'AI DANS MA LIGNE DE MIRE...

...HMM... SÛR DE NE PAS RATER TA CIBLE KID?...

AVEC CE BIJOU, JE NE RATE **JAMAIS** MA CIBLE... ET AVEC CES BALLES FENDUES EN QUATRE DANS LE SENS DE LA HAUTEUR **TOUTES** LES BLESSURES SONT MORTELLES... MAINTENANT FOUTEZ-MOI LA PAIX, KELLY... JE CONNAIS MON MÉTIER...

KELLY A L'AIR NERVEUX ET MOINS ATTENTIF... DAMN! SI JE POUVAIS...

OK... OK... VOUS CONNAISSEZ VOTRE MÉTIER!...

TOUS LES ROUAGES DE L'ATTENTAT SONT EN PLACE... DERRIÈRE L'HÔTEL DANS UNE RUELLE DÉSERTE, DOG, UN DES HOMMES DE BLAKE ATTEND AVEC DES CHEVAUX...

C'EST BIEN MA VEINE D'ÊTRE COINCÉ ICI... J'AURAIS BIEN AIMÉ VOIR QUELLE TÊTE IL AVAIT, CE GRANT...

TANDIS QU'À L'ÉTAGE INFÉRIEUR, DANS UNE CHAMBRE PROCHE DE L'ÉCHELLE MENANT AU GRENIER...

ALORS C'EST ENTENDU?... PAS DE FIORITURES... SITÔT LES PREMIERS COUPS DE FEU, NOUS GRIMPONS, NOUS ENFONÇONS LA TRAPPE... ET...

ET NOUS... TUONS L'HOMME...

HEY !.. ET.. ET S'IL FILE !.. OU SE DÉFEND !.. MOI JE NE ...

PAS DE DANGER !.. LES GARS QUI SONT LÀ-HAUT DOIVENT L'ASSOMMER AVANT DE SE TIRER !..

J'ESPÈRE BIEN !.. C'EST DÉJÀ SUFFISAMMENT PÉNIBLE COMME ÇA !..

DANS LE GRENIER SURCHAUFFÉ, LA TENSION EST DEVENUE INSUPPORTABLE, ET SOUDAIN...

ÇA Y EST !.. VOICI LA TÊTE DU CORTÈGE ! ET LA CALÈCHE DE GRANT, LÀ-BAS !..

(1) " PAS DE REDDITION " SURNOM DE GRANT DURANT LA GUERRE DE SÉCESSION ; IL VOULAIT LA CAPITULATION SANS CONDITION DES SUDISTES.

ATTENDS QU'IL SOIT SUR LA PLACE ET DEBOUT DANS LA VOITURE !..

GOOD LORD !. JE NE PEUX POURTANT PAS LAISSER DESCENDRE TRANQUILLEMENT LE VIEUX "NO SURRENDER" (1) VA FALLOIR PRENDRE DES RISQUES ÉNORMES !.

ÇA Y EST J'AI LA TÊTE DE GRANT DANS LE VISEUR !.. JÉSUS !.. C'EST ÉCOEURANT DE FACILITÉ !.

AU MÊME INSTANT, À L'UNE DES ENTRÉES TRANSVERSALES DE DURANGO...

TU PARLES D'UNE DÉVEINE !.. COINCÉS ICI !.. MOI QUI VOULAIS VOIR QUELLE TÊTE IL AVAIT, CE GRANT !..

TIENS !.. QU'EST-CE C'EST QUE ÇA !..

UNE VOITURE VIDE !.. ON DIRAIT QUE LE CHEVAL S'EST EMBALLÉ

C'EST.. C'EST UNE BONNE FEMME !.. ATTOOO...

NON !.. IL Y A QUELQU'UN À L'INTÉRIEUR HALTE ! HALTE !

IL Y A QUELQU'UN EN EFFET !.. UNE FORME FÉMININE ÉCROULÉE, TASSÉE, EXSANGUE, MAIS QUI S'EFFORCE ENCORE DE GUIDER LE CHEVAL À DEMI-FOU : GUFFIE FALMER

DURANGO... ENFIN... ET L'AUTRE SALAUD QUI CROYAIT M'AVOIR TUÉE RAIDE... AÏÏÏ ...M'A QUAND MÊME PAS MAL AMOCHÉE, HEIN ?.. AAHRRR... TENIR MAINTENANT... TENIR J... JUSQU'AU BOUT...

ATTENTION ! GAREZ-VOUS !

G..GAREZ-VOUS !

TOUTE CETTE BLEUSAILLE !... ÇA DOIT VOULOIR DIRE QUE GRANT EST ARRIVÉ !... HEU !... LA PIAZZA MAYOR !... C'EST SÛREMENT LÀ QU'IL EST !...

HEY !!? ATTENTION !...

NOUS APPROCHONS DE LA PIAZZA MAYOR, SIR...

FAITES ACTIVER, CAPITAINE... NOUS AVANÇONS TROP LENTEMENT !...

SAUVE QUI PEUT !...

UN CHEVAL EMBALLÉ !

À CETTE DISTANCE, MÊME UN GOSSE DE DIX ANS POURRAIT...

NON... ATTENDEZ QU'IL SOIT DEBOUT DANS LA VOITURE !

ÇA Y EST!.. C'EST OUVERT. VOUS ÊTES PRÊTS ??

HEY! CETTE FUMÉE... ON DIRAIT QUE QUELQUE CHOSE EST EN TRAIN DE BR...

ÇA DEVRAIT LES DÉGOÛTER POUR UN BON MOMENT!..

MAINTENANT, LA SEULE ISSUE QUI ME RESTE... C'EST LA LUCARNE DE FAÇADE!..

AAAARPHH...

BON SANG!.. ÇA EN FAIT DU MONDE À VOULOIR MA PEAU!

HELL!.. IL NE ME RESTE PLUS QUE PAR LES TOITS!..

PLACE!

AU FEU!

ÉCARTEZ-VOUS DU CHEMIN!..

YAHOOO!.. VIVE LES POMPIERS DE DURANGO!..

LÀ-HAUT! L'ASSASSIN!!

À MORT

IL SE TAILLE PAR LES TOITS!..

QU'EST-CE QUE VOUS ATTENDEZ POUR FAIRE UN CARTON!..

ABATTEZ-LE!..

PAS DE DOUTE, ILS ME PRENNENT POUR L'ASSASSIN...

CEPENDANT, SUR LA PLAZZA MAYOR

ÇA TIRE DE PARTOUT!

POUR L'AMOUR DU CIEL, SIR, ABRITEZ-VOUS!...

OH, VOUS, SHUT UP!...

ELLE A CINQ BALLES DANS LE CORPS, TOUBIB!...

ULYSSES!.. TU ES EN VIE!... DIEU SOIT LOUÉ!...

?

ELLE SEMBLE ME CONNAÎTRE!...

ELLE TENAIT ÇA DANS SA MAIN!.. UN DAGUERRÉO-TYPE... ON DIRAIT...

DONNEZ-MOI ÇA...

?!

GUFFIE!... GUFFIE PALMER... GOOD LORD... EST-CE POSSIBLE?... TOI?!

DARLING!...

OUAIS!.. C'EST MOI... G... GUFFIE PALMER... DÉ... DÉSOLÉE D'AVOIR TANT CH...CHANGÉ!...

JE VAIS TE TIRER DE LÀ!...

NON!.. É...ÉCOUTE... C'EST... C'EST IMP...POR-TANT!...

ULYSSES... C'EST... C'EST BLUEBERRY... MIKE B...BLUE...BERRY... IL... IL FAUT..... QUE... IL FAUT...

MORTE!... ELLE EST MORTE SANS AVOIR PU PARLER!...

OH QUE SI!... ELLE M'A NOMMÉ SON ASSASSIN!

L'HOMME QUI A ÉGALEMENT TENTÉ DE ME TUER!

...MIKE BLUEBERRY! ... IL MOURRA!!

3

BLUEBERRY... BLUEBERRY... CE NOM ME DIT QUELQUE CHOSE...!

CET HOMME A ÉCRIT PLUSIEURS FOIS POUR OBTENIR SA GRÂCE...

...ET VOUS LA LUI AVEZ TOUJOURS REFUSÉE SIR...!

COSH...! BIEN SÛR...! C'EST CE FÉLON QUI A DÉTOURNÉ À SON PROFIT LE TRÉSOR CONFÉDÉRÉ QU'IL AVAIT POUR MISSION DE RÉCUPÉRER!

YES SIR...!

KR... SNAP!

IL A ÉTÉ CONDAMNÉ À LA DÉGRADATION MILITAIRE ET À VINGT ANS DE PÉNITENCIER... IL VIENT DE S'EN ÉVADER HÉLAS...!

EN VOYANT LA PAIE DES MINES...!

LE MAUDIT BÂTARD! C'ÉTAIT DONC PAR VENGEANCE PERSONNELLE QU'IL VOULAIT ME TUER...! JE VEUX CE RENÉGAT VIVANT... BOUCLEZ LA VILLE! LA RÉGION...! J'OFFRE PERSONNELLEMENT 10,000 DOLLARS POUR SA CAPTURE!

À... À CE PRIX, SIR... C'EST COMME S'IL ÉTAIT PRIS...!

AU MÊME INSTANT

HEY VOUS LÀ-BAS...! ARRÊTEZ...! LE CONTRÔLE DE SORTIE EST PAS FAIT POUR LES CLEBARDS...!

LAISSE TOMBER JOSEPH...!

LÀ-BAS! JE L'AI VU SAUTER

MALÉDICTION...! CE FICHU TOIT NE DONNE NULLE PART...!

À... MOINS QUE...!?

UNE CHANCE SUR DIX...! C'EST RAISONNABLE

10

CRRRCC.

LÀ-HAUT REGARDEZ! UN ACROBATE!...

C'EST L'ASSASSIN!...

PAW PAW PAW

C'EST SUR NOUS QU'ON A TIRÉ, JE TE DIS!...

J'ESPÈRE QUE C'EST PAS MA FEMME!

RETOURNE D'OÙ TU VIENS MON PETIT PÈRE!...

C'EST PAS ELLE!...

TENEZ-VOUS TRANQUILLES ET TOUT IRA BIEN!... ÇA!... QU'EST-CE QUE C'EST!...

BEN, C'EST MES FRINGUES!...

PARFAIT!... MAINTENANT, ENTREZ TOUS LES DEUX LÀ-DEDANS ET ESSAYEZ DE COMPTER JUSQU'À CENT, BIEN FORT POUR QUE JE VOUS ENTENDE

BON SANG, ÉLOIGNEZ LES ENFANTS!...

IL EST LÀ-HAUT, VOTRE ASSASSIN... CHEZ ROSA!... VITE... IL VA MASSACRER TOUTE LA BARAQUE!...

11

TU LE TENAIS... ET ALORS?

BEN, À VRAI DIRE, OUI, JE LE TENAIS, MAIS JE... HEU... JE NE SAVAIS PAS QUE JE LE TENAIS, CAPITAINE!...

DÉGAGEZ LE PASSAGE!

? ∞

ALORS COMME ÇA... VOUS AURIEZ MIS LE FEU À LA MOITIÉ DE LA VILLE, APRÈS AVOIR TENTÉ D'ASSASSINER LE PRÉSIDENT DES ÉTATS-UNIS? TSS TSS!...

PAS SI VITE LA BELLE! POUR L'INCENDIE, J'ADMETS, MAIS POUR LE PRÉSIDENT, IL N'Y A RIEN DE VRAI LÀ-DEDANS!

PEU IMPORTE! MOI CE QUE JE N'AIME PAS, C'EST DE VOIR TOUS CES CRÉTINS FAIRE DES MISÈRES À UN BEAU GARS COMME TOI!...

TU PEUX Y ALLER!... C'EST UNE SORTIE DISCRÈTE!

MAINTENANT FILE!... C'EST TOUT CE QUE JE PEUX FAIRE POUR TOI.

C'EST BEAUCOUP!... MERCI ET ADIEU!

D'ABORD TROUVER DES VÊTEMENTS PLUS DISCRETS, ENSUITE QUITTER LA VILLE...

TU CROIS VRAIMENT QUE LA GROSSE GUFFIE PEUT LEUR FAIRE DES ENNUIS?...

JE NE SAIS PAS, MAIS NOUS AURONS BIENTÔT LA RÉPONSE!... NOUS SOMMES À PEINE À UN QUART D'HEURE DE DURANGO...

HEY!?... QU'EST-CE QUE... MAIS!...

C'EST KELLY!... AVEC ANGEL FACE ET DOGGY... AÏE!... MAUVAIS SIGNE!...

BLAINE!

ALORS?

L'AFFAIRE EST FICHUE!... ON A EU À PEINE LE TEMPS DE FILER.

13

VOILÀ L'HISTOIRE !... QUAND JE PENSE QUE TOUT ÉTAIT RÉGLÉ PARFAITEMENT !... ET QUE TOUT A FOIRÉ !... PAR LA FAUTE DE CETTE GUFFIE ET DE BLUEBERRY !...

ON S'EST DOUTÉ QU'IL Y AURAIT DU VILAIN QUAND CHARLIE NOUS A APPRIS QUE GUFFIE LUI AVAIT ÉCHAPPÉ !... C'EST D'AILLEURS LA RAISON DE NOTRE PRÉSENCE ICI !...

OUAIS ! EN TOUT CAS, MOI, JE RENTRE AU PÉNITENCIER !..

C'EST ÇA !... RENTREZ À LOUISVILLE ET FAITES-VOUS OUBLIER ! MAIS IL EST REGRETTABLE QUE VOUS NE SACHIEZ PAS SI BLUEBERRY A ÉTÉ LIQUIDÉ COMME PRÉVU !... ÇA VA NOUS OBLIGER À PÉNÉTRER À DURANGO ET FAIRE AU BESOIN LE TRAVAIL NOUS-MÊMES !...

NON, KELLY ! IL VIENT AVEC NOUS !... NOUS AURONS CERTAINEMENT BESOIN DE SES TALENTS !..

ANGEL FACE !.. EN ROUTE !..

VOUS NE POURREZ JAMAIS !.. TOUTES LES ISSUES SONT GARDÉES PAR L'ARMÉE !...

ET ALORS !.. AUCUN D'ENTRE NOUS N'EST RECHERCHÉ... NOUS SOMMES DES CITOYENS LIBRES DE CIRCULER !..

J'AI MÊME DANS L'IDÉE DE TERMINER "L'AFFAIRE" QUE VOUS AVEZ SALOPÉE !... BON, REJOIGNONS LES AUTRES !...

D'ACCORD !.. SI BLUEBERRY S'EN EST SORTI, MOI, JE NE LE LOUPERAI PAS !...

HEY ! TOI, LÀ-BAS ! LE POMPIER !

BLOODY HELL !.. QU'EST-CE QUE C'EST ENCORE !..

DIS DONC MON GARS... JE TE SIGNALE QUE SI TU CHERCHES L'INCENDIE, TU AS PLUS DE CHANCES DE LE TROUVER DE CE CÔTÉ !

MERCI... AVEC TOUTE CETTE PAGAILLE, ON SAIT PLUS OÙ ON EN EST !..

14

83

O.K, ESSAYE PAS DE FAIRE LE MALIN! OH LÀ! QUELQU'UN DE *PERSUASIF POUR ESCORTER CE BRAVE SOLDAT DU FEU!...

BAH! TANT QU'ILS ME PRENNENT POUR UN POMPIER EN BALADE, IL N'Y A PAS TROP DE CASSE...

MOI, CAVALIER... JE M'EN CHARGE...

PAR ICI MON GARS... JE VAIS TE MONTRER LE BON CHEMIN...

ON Y VA!... PAS LA PEINE DE ME COLLER CE TRUC SOUS LE NEZ!

PLACE! PLACE!... WOHA! QUEL BRASIER!

CAUSE PAS TANT MON GARS, ET AVANCE!...

EH BIEN JE ME RAP-PELLERAI DE VOTRE FOUTUE VILLE, MON-SIEUR LE MAIRE...

LE GOUVERNEUR VIENT DE SUCCOMBER À SES BLESSURES, SÎR!...

HM...

JE VEUX VOIR MONSIEUR LE MAÎTRE!...

QU'EST-CE QU'IL Y A ENCORE?

?!!

L'ASSASSIN!... IL... NOUS L'AVONS REPÉRÉ, SÎR!... IL N'A PAS ENCORE QUITTÉ LA VILLE ET S'EST DÉ-GUISÉ EN POMPIER!...

SMITH... OCCUPEZ-VOUS PER-SONNELLEMENT DE ÇA!... BOUCLEZ LE QUARTIER EN FEU! COFFREZ TOUS LES POMPIERS, S'IL LE FAUT MAIS JE VEUX CE BÂTARD DE BLUEBERRY! ET SI POSSIBLE VIVANT!

OK, SÎR... MISTER PRÉSIDENT.

VITE!... ON MANQUE D'HOMMES VERS L'AUTRE BLOC!

?!...
C'EST LUI!!...

VOUS LES TROUFIONS C'EST PAS LE MOMENT!!... DÉGAGEZ LE PASSAGE!!...

BON SANG!!... ENCORE CE TYPE?!...

HEY!!...

QUE FABRIQUE CET ABRUTI DANS NOS JAMBES?!...

QU'EST-CE QUE C'EST QUE TOUT CE CIRQUE?...

MILLE EXCUSES, MADAME...

WAHOO! ÇA COGNE DUR DANS LE SECTEUR

OÙ TU VAS?!... TU VAS ME FAIRE LOUPER LA BAGARRE DE L'ANNÉE!!...

PAS QUESTION GRAND-MÈRE!!... LA VIOLENCE ME DONNE DES AIGREURS D'ESTOMAC!!...

HA!... SI C'EST UNE QUESTION DE SANTÉ, C'EST PAS PAREIL!!...

MONSIEUR LE MAIRE!... CE SONT DEUX DÉTECTIVES DE L'AGENCE PINKERTON!... ILS INSISTENT POUR VOUS PARLER

SI C'EST POUR M'ANNONCER UNE NOUVELLE CATASTROPHE, CE N'EST MÊME PAS LA PEINE QU'ILS OUVRENT LA BOUCHE!!...

MON NOM EST ART SINGLETONE ET VOICI MON FRÈRE BUFF!... NOUS ENQUÊTONS SUR UN PILLAGE DE TRAIN ORGANISÉ PAR UN CERTAIN MIKE S. BLUEBERRY...
SA PISTE NOUS A AMENÉS JUSQU'À VOTRE CHARMANTE VILLE!...

JUSQU'ICI ÇA FAIT PARTIE DES CATASTROPHES CONNUES!... ENSUITE?...

EH BIEN D'APRÈS LES DIVERS TÉMOIGNAGES L'ATTAQUE DU TRAIN SERAIT PLUTÔT LE FAIT D'UN CERTAIN TENNESSEE BLAKE... BLUEBERRY N'AURAIT FAIT QUE PROFITER DE LA SITUATION... MAIS LE PLUS INQUIÉTANT EST QUE NOUS AVONS VU BLAKE ET SES HOMMES PÉNÉTRER EN VILLE TOUT À L'HEURE... JE VOUS LAISSE IMAGINER LES CONSÉQUENCES...

OUAIS!... JE VAIS ACHETER UNE MULE ET M'ENFONCER DANS LE DÉSERT DE LA MORT!!...

HM!...

QUOI: "HM"?... S'IL Y A AUTRE CHOSE, DITES-LE! AU POINT OÙ J'EN SUIS...

C'EST-À-DIRE QUE MON FRÈRE BUFF A BIEN CRU RECONNAÎTRE, EN COMPAGNIE DE BLAKE, UN DES TUEURS LES PLUS REDOUTABLES DE LA CÔTE EST: DUKE O'SAUGHTNESSY... ON SAIT PEU DE CHOSES SUR LUI, SINON QU'IL EST CHER!... TRÈS CHER!... À VOTRE PLACE, JE M'INQUIÉTERAIS DE SAVOIR CE QUI A BIEN PU L'AMENER DANS CETTE BONNE PETITE VILLE DE L'OUEST!...

JE N'AI QU'UN ESPOIR; QUE CE TUEUR SOIT VENU POUR MOI... ÇA SIGNIFIERAIT PEUT-ÊTRE LA FIN DE MES ENNUIS!... À MOINS QU'IL NE ME RATE, BIEN SÛR!...

17

PLACE! DÉGAGEZ LA RUE!..

POUR SÛR QUE JE SAIS OÙ ALLER!.. MON IDIOT DE BEAU-FRÈRE HABITE MACÉDONIO STREET, LÀ-BAS À LA LIMITE DU QUARTIER MEX!..

OK. MA BELLE!.. ON Y VA!..

MAIS BLAKE, LA VILLE EST PLEINE COMME UN ŒUF!.. JAMAIS ON LE RETROUVERA!..

STOCKWELL A RAISON... BON!.. ADMETTONS QU'ON LE TROUVE!.. AVEC TOUS CES MILITAIRES ET CES FLICS QUI GROUILLENT PARTOUT... ON AURA LES MAINS LIÉES...

PAS DU TOUT... DESCENDEZ-LE SANS HÉSITER... ILS RÂLERONT UN PEU DE NE PAS L'AVOIR VIVANT... MAIS À PART ÇA, PAS D'ENNUIS À CRAINDRE, AU CONTRAIRE, CELUI QUI L'AURA SERA LE HÉROS DU JOUR, SANS COMPTER LA PRIME SUR SA TÊTE QUI DOIT COMMENCER À CHIFFRER...

ALLEZ-Y MAINTENANT... OUVREZ L'ŒIL ET TIREZ À COUP SÛR!

BON DIEU!.. SI LES FLICS ATTRAPENT BLUEBERRY, ON EST FOUTUS!.. IL SAIT TROP DE CHOSES SUR NOUS!..

OUAIS... ET DOMMAGE QU'ON NE PUISSE PAS UTILISER LA BANDE AU COMPLET... SIX HOMMES POUR RATISSER UNE VILLE EN ÉBULLITION, C'EST UN PEU MAIGRE...

LES AUTRES SONT PAS ASSEZ SÛRS... TROP DE FRIC SUR LEUR TÊTE!.. EN TOUT CAS, KELLY EST DINGUE D'AVOIR PRIS UN GARS AUSSI CORIACE COMME BOUC ÉMISSAIRE

ON VA S'OCCUPER DE LUI, TENNESSEE!.. QUANT AU PLAN DE KELLY, J'AI TOUJOURS DIT QU'IL ÉTAIT TROP COMPLIQUÉ... PRENONS LES CHOSES EN MAIN ET VOYONS CE QUE LA PETITE VIPÈRE À GUEULE D'ENFANT DE CHŒUR A DANS LE VENTRE!..

VOILÀ!.. C'EST ICI... ET LA PETITE BLONDE BIEN ROULÉE LÀ-BAS, C'EST MA FILLE JANET. HELLO... JANET!..

IL ÉTAIT TEMPS, GRAND-MA' VOUS COMMENCEZ À PESER VOTRE POIDS!..

MAMY!.. QUE SE PASSE-T-IL?.. POURQUOI CE...?

JE TE RACONTERAI TOUT ÇA À L'INTÉRIEUR, JANET!.. PARAÎT QUE JE PÈSE DES TONNES DANS LES BRAS DE MON PRINCE CHARMANT!..

18

ÇA M'ÉTONNERAIT QUE CE GROS LARD FASSE QUELQUE CHOSE... IL EST DÉBORDÉ PAR LES ÉVÉNEMENTS ET IL CRÈVE DE TROUILLE...

ILS SONT TOUS OBNUBILÉS PAR LA CULPABILITÉ DE CE BLUEBERRY... JE NE SAIS PAS MOI, MAIS JE TROUVE QU'IL Y A PRESQUE TROP DE PREUVES CONTRE CE GARS-LÀ...

ON L'ACCUSE DU HOLD-UP DU TRAIN ET QUI TROUVE-T-ON DERRIÈRE ?... BLAKE !... SPÉCIALISTE DU GENRE... ON TENTE D'ASSASSINER GRANT ET QUI EST LÀ COMME PAR HASARD ?... O'SLAUGHTNESSY... LE TUEUR À GAGES LE PLUS...

BUPP !... REGARDE !... QUAND ON PARLE DU LOUP...

BLAKE !... AVEC CETTE VIEILLE CANAILLE DE MORT DOOGAN !...

...LEUR FILE LE TRAIN !

C'EST LÀ !...

ALORS ANGEL FACE !... COMMENT VA LE MORAL ?...

DONNEZ-MOI PLUTÔT DES NOUVELLES DE BLUEBERRY !... TANT QUE J'AURAI PAS EU LA PEAU DE CE BÂTARD...

ÉCOUTE ANGEL FACE !... BLUEBERRY ON S'EN OCCUPE !... TOI, TON BOULOT, C'EST TOUJOURS GRANT !... O.K...

?!!

_MAIS... VOUS ÊTES MALADES?!... GRANT C'EST FICHU!

NON MON GARÇON!.. CE SERA FICHU QUAND NOUS LE DIRONS!.. OU ALORS, C'EST QUE TU AS TROP PEUR POUR "

ESPÈCE DE GROS LARD... MOI " AVOIR PEUR!.. JE POURRAIS TE TUER POUR AVOIR DIT CETTE...CETTE CHOSE

ALLONS!.. NE T'ÉNERVE PAS!.. MORT FAISAIT SEULEMENT UNE SUP-POSITION!

MOI JE VEUX BIEN MAIS IL N'EMPÊCHE!.. LA TENTATIVE DE CE MATIN EST UN BEAU FIASCO.. ET QUAND ON A DES TARIFS AUSSI ÉLEVÉS QUE LES TIENS "

VOUS SAVEZ TRÈS BIEN QUE C'EST GUFFIE QUI A TOUT FAIT RATER "" OH !.. ET PUIS ALLEZ AU DIABLE!..

BON!.. ÇA SUFFIT COMME ÇA, VOUS DEUX!.. SI NOUS CAUSIONS UN PEU SÉRIEUSEMENT

OK.. MAIS VOUS AVEZ INTÉRÊT À ÊTRE CONVAINCANTS ""

VOILÀ!.. TOUT EST BASÉ SUR LE FAIT QUE LES AUTORITÉS SONT PERSUADÉES QUE BLUEBERRY A AGI SEUL... LÀ, KELLY A FAIT DU BON TRAVAIL...

L'ARMÉE A DONC BOUCLÉ LA VILLE!.. UN CANCRELAT POURRAIT PAS EN SORTIR INCOGNITO!.. EN RÉALITÉ CE DISPOSITIF NE VISE QU'UN SEUL HOMME: BLUEBERRY

D'AUTRE PART, VOUS AVEZ DÛ REMARQUER QUE LA GARE, OÙ ATTEND LE WAGON PRÉSIDENTIEL, EST SITUÉE HORS DE LA VILLE!.. VOUS CONNAIS-SEZ LES POLITICIENS, GRANT, SE CROYANT HORS DE DANGER, NE MANQUERA PAS D'Y ALLER DE SON COUPLET ÉLECTORAL!

J'AI COMPRIS!.. IL ME SUFFIRA DE ME POSTER À L'AVANCE ET D'AVOIR LA PLATE-FORME DU WAGON PRÉSIDENTIEL DANS MON VISEUR... OK!.. C'EST UN BON PLAN!.. MAIS ON N'AURA PAS INTÉRÊT À TRAÎNER DANS LE COIN APRÈS UN COUP PAREIL...

L'ENNUYEUX, C'EST QUE BLUEBERRY NE POURRA PAS PORTER LE CHAPEAU, CETTE FOIS...

NON, C'EST VRAI... QUOIQUE... AVEC UN PEU DE CHANCE... TIENS TIENS... ÇA ME DONNE MÊME UNE IDÉE...

QU'EST-CE QUI VOUS FAIT RIRE COMME ÇA, GRAND-MÈRE ?

HI HI!... TON APPÉTIT, MON GARÇON !... HI HI!... POUR QUELQU'UN QU'AVAIT À PEINE LE TEMPS DE PRENDRE UNE TASSE DE CAFÉ...

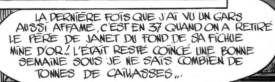

LA DERNIÈRE FOIS QUE J'AI VU UN GARS AUSSI AFFAMÉ, C'EST EN 37 QUAND ON A RETIRÉ LE PÈRE DE JANET DU FOND DE SA FICHUE MINE D'OR!... L'ÉTAIT RESTÉ COINCÉ UNE BONNE SEMAINE SOUS JE NE SAIS COMBIEN DE TONNES DE CAILLASSES...

J'ESPÈRE QU'IL Y A EU QUELQUES PERTES DANS LE TAS...

POUR ÇA NON... C'ÉTAIT UNE DE CES BRAVES PETITES MINES D'OR SANS LA MOINDRE ONCE D'OR...

VOUS REPRENDREZ BIEN ENCORE UN PEU DE MA TARTE AUX MYRTILLES, MISTER... HEU...

JONES... JOHN JONES MADAME... HEU... NON, DÉSOLÉ MAIS JE ME SUIS DÉJÀ BEAUCOUP TROP ATTARDÉ...

JE DOIS REGAGNER MON UNITÉ... CE MAUDIT INCENDIE NE DOIT CERTAINEMENT PAS ÊTRE TOUT À FAIT ÉTEINT!...

VAS-Y MON GARS!... TU SERAS TOUJOURS LE BIENVENU DANS CETTE MAISON !

HÉ LÀ! PAS SI VITE !... PAS SI VITE !...

TIENS! VOILÀ MON IDIOT DE GENDRE!

MELVIN!

JE NE PEUX DÉCIDÉMENT PAS TOURNER LE DOS SANS QUE..

AÏE! UN FLIC!

OOH!.. MON CHÉRI!.. TON ŒIL!.. TU ES BLESSÉ?!

CE N'EST RIEN.. IL NOUS A FALLU SÉPARER LES POMPIERS DE LA VILLE ET UNE COMPAGNIE D'INFANTERIE QUI SE TAPAIENT DESSUS COMME DES CHIFFONNIERS... ALORS... RÉPONDS!.. QUI EST CET ÉTRANGER, ET QUE FAIT-IL SOUS MON TOIT?..

C'EST UN POMPIER!.. IL A SAUVÉ MAMY DES FLAMMES AU PÉRIL DE SA VIE, PUIS L'A OBLIGEAMMENT TRANS-PORTÉE JUSQU'ICI... CROIS-MOI CHÉRI... C'EST UN BRAVE GARÇON...

UN BRAVE GARÇON!

JE DOIS D'AILLEURS VOUS QUITTER ET RE-JOINDRE MA COMPA-GNIE MONSIEUR... L'INCENDIE EST LOIN D'ÊTRE MAÎTRISÉ...

BON... HM... EN EFFET!.. ALLEZ! ET N'OUBLIEZ PAS VOTRE CASQUE... HM... JE... JE...

AU REVOIR M' JONES, ET ENCORE MERCI...

ADIEU MADAME

AH OUI... MON CASQUE... UN PEU PLUS ET J'AVAIS L'OUBLIER...

HAUT LES MAINS CANAILLE!

MELVIN! TU... TU ES FOU?

?

UN POMPIER HEIN?.. C'EST BLUEBERRY... IL A TENTÉ DE TUER GRANT... JE SUIS PEUT-ÊTRE FOU MAIS IL Y A QUIN-ZE MILLE DOLLARS DE PRIME POUR LA CAPTURE DE CE "BRAVE GARÇON"!

HEY!.. VOUS CONFONDEZ!.. JE NE...

TE FATIGUE PAS!.. CE CASQUE EST CELUI DE BARTLETT... L'AGRESSEUR DE GRANT... L'A DÉROBÉ CE MATIN CHEZ ROSA!.. VOIS S'IL N'EST PAS ARMÉ ET ÔTE-LUI CE MANTEAU, JANET!..

GOOD LORD...EST-CE...EST-CE POSSIBLE?!

SÛR QUE NON! UN GARS QUI RIS-QUE SA PEAU POUR SAUVER UNE PAUV' VIEILLE N'EST PAS UN SALAUD...

SUFFIT VOUS DEUX!.. ET TOI, EN ROUTE

HELL! VOILÀ UNE TARTE AUX MYRTILLES QUI VA ME COÛTER GROS!..

22

ET EN PLUS, C'EST UN FLIC !... ON EST DANS UNE BELLE PANADE !...

MOI, J'AI JAMAIS TIRÉ SUR CE GARS-LÀ !...

CE MAUDIT COYOTE EST POURTANT BIEN QUELQUE PART !... JE L'AI BIEN VU !... JE N'AI PAS RÊVÉ !...

BON DIEU... LES HOMMES DE BLAKE !... SI JE N'ATTEINS PAS CETTE CARABINE À TEMPS !... JE SUIS FICHU !...

ÇA ALORS... JE N'Y COM-PRENDS R...

OH !... LUI !...... DERRIÈRE ! ATT...

PAW

TAC BAM

JE NE M'EN TIRERAI PAS!... LA FUSILLADE VA METTRE CE QUARTIER EN ÉBULLITION... IMPOSSIBLE DE TENTER QUOI QUE CE SOIT AVANT LA NUIT!...

ALLEZ LES ENFANTS!... RENTREZ CHEZ VOUS MAINTENANT!...

D'ICI-LÀ, IL FAUT QUE JE TROUVE UNE PLANQUE... ET VITE!... ÇA COMMENCE À FAIRE UN PEU TROP DE GENS QUI CONNAISSENT MON SIGNALEMENT...

C'EST QUAND MÊME INCROYABLE QUE CE TUEUR CONTINUE À COURIR!... JE ME DEMANDE CE QU'ATTEND L'ARMÉE POUR RATISSER LA VILLE?...

PAS FACILE! LA VENUE DE GRANT A ATTIRÉ ICI DES TAS D'ÉTRANGERS...

O.K., NIÑOS!... GRÂCE À VOUS DEUX, JE VAIS POUVOIR CONTI-NUER À JOUER LES LAPINS DE GARENNE... ADIOS!...

ADIOS, SEÑOR GRINGO!

OUF!... JE PRÉFÈRE ÇA! PLUS ILS SERONT LOIN DE MOI ET PLUS ILS SERONT EN SÉCURITÉ... BON DIEU... MAINTENANT "LE" PROBLÈME DE LA PLANQUE...

À MOINS QUE HÉBÉE!... C'EST UNE IDÉE DINGUE...

MAIS JUSTEMENT... PERSONNE NE PENSERA QU'ELLE AIT PU ME VENIR!...

INTOLÉRABLE! ...VOUS ENTENDEZ?... C'EST INTOLÉRABLE... NOM DE DIEU, CE BÂTARD NOUS RIDICULISE!...

AINSI, NON SEULEMENT BLUEBERRY VOUS GLISSE ENTRE LES DOIGTS, MAIS EN PLUS, IL OCCIT LES CITOYENS EN PLEINE RUE, BRAVO!... JOLI TRAVAIL!...

J...JUSTEMENT... C'EST INCOMPRÉHENSIBLE, MISTER PRÉSIDENT!... IL SEMBLERAIT QUE DEUX DES MORTS AIENT ÉTÉ DES COMPLICES... ILS L'ONT DÉLIVRÉ... CE QUI A VALU LA MORT D'UN DE MES ADJOINTS MELVIN VAN PEEBLES, QUI VENAIT JUSTEMENT DE L'ARRÊTER...

C'EST LÀ UN FAIT NOUVEAU ET TROUBLANT, SIR... ÇA SEM-BLERAIT CONFIRMER QUE BLUEBERRY N'A PAS AGI SEUL... ET QU'IL EXIS-TERAIT BIEN UN COMPLOT CONTRE VOUS...

HEU... À CE PROPOS... HEU... J'AI REÇU LA VISITE DE... HEU... DEUX DÉTÉTÉ HEU... DÉ-TECTIVES DE L'AGENCE PINK... PINKERTON... EUX AUSSI PARLAIENT DE COMPLOT!...

OH... VOUS... ÇA SUFFIT HEIN?... CESSEZ D'INVENTER DES HISTOIRES DE BRIGANDS POUR EXCUSER VOS ÉCHECS ET VOS CARENCES...

OOOH!!!... MAIS PAR TOUT L'ENFER C'EST MOI QUI VAIS PRENDRE LES CHOSES EN MAIN... ET D'ABORD, FOUTEZ-MOI CETTE FOUTUE VILLE EN ÉTAT DE SIÈGE AVEC COUVRE-FEU À 20 H, PATROUILLES ARMÉES ET TOUT LE CIRQUE!...

26

MISTER PRÉSIDENT... BONNES NOUVELLES...! TOUS LES INCENDIES SONT MAÎTRISÉS... ET ON VIENT DE LIVRER LES AVIS DE RECHERCHE AVEC LA PHOTOGRAPHIE DE BLUEBERRY...

PARFAIT! FAITES-MOI PLACARDER ÇA PARTOUT...! SMITH! MOBILISEZ TOUS LES SOLDATS ET TOUS LES SUPPLÉANTS DE LA RÉGION...! JE VEUX QUINZE CENTS HOMMES AVANT UNE HEURE...!

HEU... "MISTER PRÉSIDENT... JE VOUDRAIS VOUS DIRE... À PROPOS DU SPEECH DE DÉPART, DEMAIN, À LA GARE... NE SERAIT-IL PAS PLUS... HEU... SAGE DE L'ANNULER... HM... JE...

QUOI!?

POUR QU'ON DISE QUE J'AI LA TROUILLE? MOI!? GRANT?... JAMAIS! JE PARLERAI...! FÛT-CE SOUS UNE GRÊLE DE BOULETS...!

AVEC EUX, VOUS QUADRILLEREZ LA VILLE...! FOUILLEZ TOUT, MAISON PAR MAISON ET JUSQU'AU MOINDRE TROU...

SI JE N'AI PAS BLUEBERRY MORT OU VIF AVANT DEMAIN MIDI, JE VOUS CASSE...! EXÉCUTION!

BIEN SIR... À... À MIDI... À LA GARE...!

PFFF

PENDANT TOUT CE TEMPS, À L'AUTRE BOUT DE LA VILLE.

IL VA FALLOIR VISITER LA GARE ET DÉNICHER UN POSTE DE TIR POTABLE! JE TOUCHE MES CIBLES DE LOIN MAIS QUAND MÊME...

INCROYABLE... TOUT ÇA INNOCENTE COMPLÈTEMENT CE MALHEUREUX BLUEBERRY!

LÀ... IL Y A UN PROBLÈME...! TOUT DOIT ÊTRE ÉTROITEMENT SURVEILLÉ... ÇA VA COMPLIQUER DIABLEMENT LE TRAVAIL...!

PAS UNE SECONDE À PERDRE...! EN FAISANT VITE, NOUS POUVONS LES BOUCLER AVANT QU'ILS NE SE SÉPARENT ET...

JE... HÉ...?!... ON DIRAIT...

?!...

HEU OUI...! ON DIRAIT QUE TOUT SE COMPLIQUE DIABLEMENT!

27

HELL!.. LA POUDRE PARLE, PAR ICI!.. ET MOI QUI CHERCHAIS DES RUES CALMES... JE SUIS SERVI...

BLAKE... JE...JE N'AI MAL NULLE PART...MAIS.. JE SENS PLUS MES JAMBES...

...DAMN!.. IL A SON COMPTE

TIENS, TIENS... UN FLIC DES CHE- MINS DE FER !.. UN DES RATS DE PIN- KERTON !.. ET L'AUTRE AUSSI SÛREMENT... INTÉRESSANT... ÇA !..

B...BLAKE! IL FAUT... IL FAUT... UN T..TOUBIB!..

DOOGAN A LA COLONNE VERTÉBRALE BRISÉE !.. INTRANSPORTABLE !..

EH BIEN ON NE LE TRANSPORTERA PAS !.. LA FUSILLADE VA RAMEUTER DU MONDE !.. IL FAUT FILER PAR- DERRIÈRE !..

J'AI COMPRIS !.. PASSE DEVANT, JE M'EN OCCUPE...

ON... ON NE PEUT PAS LE LAISSER DERRIÈRE NOUS !..

BON DIEU...CE N'EST PAS LE MOMENT DE TRAÎNER !..

BLAKE! LE LAISSE PAS...

SILENCE GROS LARD, SINON, JE VAIS CROIRE QUE TU AS PEUR...

ANGEL! BLAKE! PAS ÇA!...

B'AM

GOOD LORD!.. ANGEL, ICI?..

...C'ÉTAIT LA VOIX DE DOOGAN?..

J'EN AURAI LE COEUR NET...

HÉ!.. QU'EST-CE QUE C'ÉTAIT QUE TOUT C'RAFFUT?.

AUCUNE IDÉE, OLD MAN!. ÇA VENAIT DE CETTE BARAQUE, C'EST TOUT CE QUE JE SAIS...

HÉÉ!. DU SANG!. Y A QUELQU'UN QU'A PRIS DU PLOMB A C'T'ENDROIT, PIS ON L'A TRAÎNÉ JUSQU'À LA BARAQUE...

AAH... À L'AIDE!... AAH...

C'EST BIEN DOOGAN!. MA PAROLE, ILS SE SONT ENTRETUÉS OU QUOI?..

C'EST FERMÉ DE L'INTÉRIEUR!. OLD MAN, VOUS SAVEZ OUVRIR UNE PORTE AVEC UNE PÉTOIRE?.

HÉHÉ!. SÛR!. J'DIRAIS MÊME QUE C'EST BIGREMENT PLUS DRÔLE QU'AVEC UNE DE CES FICHUES CLÉS...

DAMN!. ANGEL FACE TOUJOURS EN VILLE!. QU'EST-CE QUE ÇA VEUT DIRE?..

BLAM

LES AUTRES ONT FILÉ PAR DERRIÈRE!. ALLEZ CHERCHER UN MÉDECIN... JE M'OCCUPERAI DU BLESSÉ

HÉ!. À MON AVIS J'F'RAIS P'T-ÊTRE MIEUX D'PASSER CHEZ L'CROQUEMORT!

BLUE... B... BLUEBERRY!.

DOOGAN, TU ES FICHU!. TU N'AS PLUS RIEN À PERDRE!. ANGEL ET BLAKE, OÙ ONT-ILS FILÉ?

B... BLAKE!.. CE S...SALAUD... A LAISSÉ ANGEL ME... M'ACHEVER... ME... ME VENGER... DEMAIN GRANT... LA... LA GARE... ANGEL... AT... ATTENTION... IL VA...

PAR ICI!

J'ALLAIS CHERCHER UN DOCTEUR QUAND J'SUIS TOMBÉ SUR C'T'AFFICHE!.. VOT'GARS EST À L'INTÉRIEUR... MAIS Y RISQUE DE S'CARAPATER PAR-DERRIÈRE!. HÉHÉ!..

PETE!. DISPERSE TOUS CES POUILLEUX!. DOUGLAS, CERNEZ LA BARAQUE!. VITE!. TROIS HOMMES DERRIÈRE!.

LÀ!. C'EST LUI... FEU!

PAW

TROP TARD!..

ALORS, SMITH... AVEZ-VOUS ATTRAPÉ BLUEBERRY, OU A-T-IL ENCORE TUÉ QUELQUES-UNS DE MES ÉLECTEURS?

HM... IL A FAIT TROIS NOUVEAUX CADAVRES, MISTER PRÉSIDENT... ET IL COURT TOUJOURS...

MAIS PAR DIEU !... VAIS-JE DEVOIR FOUILLER MOI-MÊME CETTE FOUTUE VILLE ?...

NOUS TIENDRONS BLUEBERRY AVANT UNE HEURE, MISTER PRÉSIDENT... CETTE FOIS NOUS L'AVONS LOCALISÉ, ET LE QUARTIER A ÉTÉ BOUCLÉ INSTANTANÉMENT !...

NOUS LE RATISSONS MAISON PAR MAISON...

PAUVRE MELVIN !... QUI AURAIT CRU ÇA DE CE BLUEBERRY ?... UN HOMME QUI AVAIT L'AIR SI COMME IL FAUT !...

C'EST PAS LUI QUI A TIRÉ SUR CET IDIOT DE MELVIN... ASSEZ DE JÉRÉMIADES À SON PROPOS... FAMEUSE PERTE, OUAIS... UN JALOUX QUI TE ROSSAIT CHAQUE JOUR QUE DIEU FAIT... UN FLIC QUE TOUT LE MONDE DÉTESTAIT... LA PREUVE, PERSONNE N'EST VENU LE VEILLER AVEC NOUS...

À CAUSE DU COUVRE-FEU...

TOC TOC

? !! OO

TU VOIS... TU TE TROMPES !... C'EST SÛREMENT UN VOISIN !...

M'ÉTONNERAIT ! À CETTE HEURE, IL N'Y A PLUS QUE LES SOLDATS À POUVOIR CIRCULER DANS LES RUES...

OOOH, VOUS !...

HELLO, JANET !... CHUTTT !...

ALLEZ-VOUS-EN !... VOUS... VOUS ME FAITES HORREUR !...

JE SUIS NAVRÉ DE CE QUI EST ARRIVÉ, MAIS VOUS SAVEZ BIEN QUE JE SUIS INNOCENT...

LAISSE-LE ENTRER, MA FILLE... ET VOYONS TOUJOURS CE QU'IL A À DIRE !...

IL FAUT ME CROIRE... CE SONT LES SALAUDS QUI VEULENT ABATTRE GRANT QUI M'ONT TOUT COLLÉ SUR LE DOS... ET BIEN SÛR, TOUT LE MONDE MARCHE... SI VOUS VOULEZ BIEN M'ÉCOUTER QUELQUES...

LÂCHEZ-MOI OU JE HURLE !...

EN TOUT CAS, TU NE MANQUES PAS DE CULOT MON GARS... VENIR TE PLANQUER CHEZ LA VEUVE D'UN TYPE MORT PAR TA FAUTE !...

GRAND-MÈRE... VOUS ÊTES MA DERNIÈRE CHANCE... VOUS AUSSI JANET... SI VOUS ME LIVREZ AUX AUTORITÉS LE PRÉSIDENT SERA TUÉ DEMAIN... ON A MONTÉ UN NOUVEL ATTENTAT CONTRE LUI...

GIR.

31

ET, DIS-MOI.. POURQUOI NE COURS-TU PAS AVERTIR GRANT ?..

BAH !.. QUI ME CROI-RAIT ?.. POUR TOUS, C'EST MOI LE TUEUR ! ET JE RISQUE D'ÊTRE ABATTU AVANT D'AVOIR PU PAR-LER À QUI QUE CE SOIT...

OK.. OK !.. MAIS ALORS.. QUE COMPTES-TU FAIRE ?..

ÊTRE À LA GARE DEMAIN ET ARRÊTER LE TUEUR AVANT QU'IL AIT ABATTU LE PRÉSIDENT..

OUAIS.. BEN C'EST PAS ICI QUE TU SERAS EN SÉCURITÉ, FILS.. L'ARMÉE FOUILLE LA VILLE ET SURTOUT LE QUARTIER.. ET PAS UNE SEULE CACHETTE DANS CETTE BARAQUE !.. ALLONS.. LÂCHE JANET...

OFFICIER... JE PROTESTE !.. CETTE PERQUISITION NOCTURNE EST.. EST CONTRAIRE À.. À LA CONSTITUTION...

ET FAIRE DES CARTONS SUR LE PRÉSIDENT... C'EST CONSTITU-TIONNEL ? ALLEZ-Y LES GARS.. FOUILLEZ PARTOUT.. NE NÉGLIGEZ AUCUN RECOIN..

ÉCOUTEZ !.. LES SOLDATS !.. IL N'Y A AUCUNE CACHETTE DANS CETTE MAISON... VOUS ÊTES PERDU...

IL Y EN A UNE... JE NE SAIS PAS SI ELLE VOUS PLAIRA.. MAIS JE NE VOIS PAS D'AUTRE SOLUTION..

ET, MOINS DE CINQ MINUTES PLUS TARD...

LA LOI ! OUVREZ ! NOUS DEVONS PER-QUISITIONNER !..

BON SANG, VOUS EN AVEZ MIS, UN TEMPS...

NOUS NE SOMMES PLUS QUE DEUX PAUVRES FEMMES, ICI...

EXCUSEZ-MOI... MAIS... VOUS DEVEZ VOUS TROMPER

SORRY, MAIS NOUS NE FAISONS AUCUNE EXCEPTION !..

ESPÈCES DE BRUTES.. VIOLER LA MAISON D'UN MORT SANS RES-PECT POUR NOTRE CHAGRIN...

VOUS ÊTES IGNOBLES ! NOUS VEILLONS MON PAUVRE MARI QUI A ÉTÉ ABATTU CET APRÈS-MIDI PAR CE.. CE RASCAL DE BLUEBERRY !..

..VOUS N'IMAGINEZ TOUT DE MÊME PAS QUE MA FILLE CACHERAIT L'ASSAS-SIN DE SON MARI POUR LE SOUSTRAIRE À LA JUSTICE...

SÛR QUE NON, MA'AM ! MAIS LES ORDRES SONT LES OR-DRES !

SERGENT.. ALLEZ-Y !!

32

RIEN SIR! ON A TOUT FOUILLÉ JUSQU'AU TOIT... IL Y A TOUT JUSTE TROIS PIÈCES ET PAS DE CAVE...

C'EST UNE HONTE!... AUCUN RESPECT POUR LA DOULEUR DE DEUX MALHEUREUSES!

JE CRAINS DE DEVOIR AJOUTER À VOTRE INDIGNATION MA'AM DÉSOLÉ DE VOUS IMPOSER CETTE PÉNIBLE ÉPREUVE MAIS...

SERGENT!.. JETEZ UN COUP D'OEIL DANS LE CERCUEIL!

QUOI?

OOOH... GOOD LORD!...

ALORS?..

C'EST BIEN L'AIDE MARSHALL, SIR... JE LE CONNAISSAIS...

TOUTES MES EXCUSES, LADIES... MAIS... MON DEVOIR

CHAROGNARDS!.. VAMPIRES! VIOLEURS DE SÉPULTURES!.. DISPARAISSEZ!...

FOUTU MÉTIER... YA DES MOMENTS OÙ JE PRÉFÉRERAIS FAIRE N'IMPORTE QUOI D'AUTRE...

C'EST... C'EST LOURD...

HUH! CE PETIT LIEUTENANT ÉTAIT TOUT CE QU'IL Y A DE TEIGNEUX...

HMPF! DIX SECONDES DE PLUS ET VOUS AVIEZ UN DEUXIÈME CADAVRE SUR LES BRAS...

BIENVENUE À LA SURFACE, MON GARÇON!..

JANET... PRÉPARE UN BAIN POUR NOTRE HÔTE!.. APRÈS, ON VERRA S'IL RENTRE DANS LES AFFAIRES DE MELVIN...

SNF!.. PAUVRE MELVIN!.. PEUT-ÊTRE SES AFFAIRES DE CHASSE... ELLES ÉTAIENT TROP GRANDES!

...ET S'IL RESTE UN PEU DE TARTE AUX MYRTILLES

PAS UNE TRACE, PAS UN INDICE... À CROIRE QUE CE DÉMON PEUT S'ÉVANOUIR EN FUMÉE MAIS... NOUS CONTINUONS, ET...

INUTILE!.. CE GARS-LÀ EST PLUS MALIN QUE NOUS, C'EST TOUT... HORS D'ICI ET RENVOYEZ DORMIR LES HOMMES!..

TROIS HEURES PLUS TARD... EN PLEINE NUIT.

PARTIR? C'EST DE LA FOLIE!.. VOUS TOMBEZ DE FATIGUE ET LES...

LA FATIGUE?.. ON VERRA PLUS TARD... POUR L'INSTANT, JE DOIS PROFITER DE L'ARRÊT DES RECHERCHES ET ATTEINDRE LA GARE...

GIR 33

SO LONG LADIES!.. PENSEZ À BRÛLER MES FRUSQUES!.. ET ENCORE MERCI POUR LES RISQUES QUE VOUS AVEZ PRIS TOUTES LES DEUX!..

ATTENDEZ!

GARDEZ-LA... C'EST L'ÉTOILE D'AIDE-MARSHALL DE MON MARI! ÇA PEUT VOUS AIDER SI UNE PATROUILLE VOUS ARRÊTE... AH!.. ATTENDEZ QUE J'ÉTEI-GNE AVANT DE SORTIR...

ET REVIENS QUAND TU VEUX, MON GARÇON... À MON ÂGE LES DISTRACTIONS DANS TON GENRE SE FONT PLUTÔT RARES...

DÉJÀ MAIN STREET ET PAS DE...?

HALTE! BOUGE PAS!

HELL... ON VA VITE SAVOIR SI L'ÉTOILE DE MELVIN SAIT SE FAIRE RESPECTER...

TES MAINS BIEN EN VUE...

ALORS COW-BOY... LE COUVRE-FEU... T'AS PAS L'AIR DE CONNAÎTRE...

DOUCEMENT LIEUTENANT... L'IN-TERDICTION DE CIRCULER NE ME CONCERNE PAS... JE VAIS PRENDRE MON POSTE...

OH.. SALUT MARSHALL! FAITES EX-CUSES!.. J'AVAIS PAS VU VOTRE ÉTOILE... ALLEZ-Y ET BONNE NUIT...

Y A PAS D'OFFENSE... VOUS FAITES VOTRE BOULOT... BONNE NUIT À VOUS AUSSI...

..HM..TOUS CES MILI-TAIRES MANQUENT DE SOMMEIL... MAIS ILS SERONT PAS TOUS AUSSI FACILES À BLUFFER!..

AÏE! ENCORE UN... TIENS TIENS!..

AÏE!.. ENCORE UN... TIENS TIENS...

HELLO!..

?

MINUTE M'SIEU... PAR ICI C'EST LA SOR-TIE D'LA VILLE ET LA GARE... HUH!! Z'ÊTES MARSHALL HEIN! J'ALLEZ PAS PRENDRE UN TRAIN À C'T'HEURE-CI, HON?.. HEY!!!

NON... TÉLÉGRA-PHIER...

REWARD 20.000 $

LA PRIME GRIMPE HEIN?..

OUAIS... J'AI COME C'TRUC-LÀ PARTOUT... MAIS J'AI FINI... JE REN-TRE!.. JUSTE-MENT J'SUIS CANTONNÉ À LA GARE...

REWARD 20.000 $

M.S. BLUEBERRY

BEN SI VOUS ÊTES D'AVIS, ON POUR- RAIT FAIRE LE RESTE DU CH'MIN ENSEMBLE?...

OK... PASSEZ- MOI LE SEAU DE COLLE...

Z'ÊTES JAMAIS PASSÉ PAR BILLIBY, KANSAS? OU PAR COTTONWOOD?...

NON POURQUOI?

J'SAIS PAS, MAIS J'AI COMME DANS L'IDÉE D'VOUS AVOIR DÉJÀ VU QUE' QU'PART!... AU 6e DE CAVA- LERIE, P'T'ÊTRE BIEN, OU DANS LES VOLONTAIRES DU TENNESSEE ??!

LÀ, ÇA M'ÉTONNERAIT J'AI JAMAIS ÉTÉ SOLDAT!...

BEN ÇA ALORS... OÙ QU'C'EST QU'ON A BIEN PU S'REN- CONTRER?...

GEE... POURVU QUE LA MÉMOIRE NE REVIENNE PAS EN CE MOMENT À CE BRAVE- ABRUTI!...

...ET ÇA S'RAIT-Y PAS À ABILENE HEIN? Z'AVEZ ÉTÉ À ABILENE?...

HALTE LÀ!... MOT DE PASSE!...

ABILENE HUH?...

DAMN! UN DES POSTES QUI BOUCLENT LA VILLE!... MIKE... DU CALME...

ANTIETAM! SALUT DOUG!...

ABILENE... ABILENE?...

AH C'EST TOI CHIP... PAS LA PEINE DE BRAILLER COMME ÇA... TU VEUX QUE BLUEBERRY T'ENTENDE OU QUOI?... ALLEZ... PASSEZ TOUS LES DEUX!...

NON... C'EST PAS ABILENE!...

C'EST PAS ABILENE... HA...

HUH... MAIS J'SUIS T'Y BÊTE. ÇA M'REVIENT MAINTENANT.

NOUS Y VOILÀ!...

C'EST LA MOUSTACHE QUI M'A TROMPÉ... MAIS VOUS ÊTES BIEN L'GARS QU'EST SUR L'AF... L'AF... BON DIEU! L'AFFICHE...

BLUEBERRY!...

BRAVO MON GROS... T'Y AS MIS LE TEMPS MAIS TU ES TOMBÉ JUSTE!...

SEULEMENT MAIN- TENANT IL EST UN PEU TARD!... DU CALME, CHIP!... ET LÈVE LES BRAS!...

HMPFF

CHIP, TU ES UN DÉGOÛ- TANT PERSON- NAGE!... TES FRINGUES SENTENT LA PORCHERIE!...

LA GARE !.. ET GROUILLANTE DE SENTINELLES !.. ÇA, C'ÉTAIT À PRÉVOIR !..

HALTE! QUI VIVE ?..

SOLDAT SCHARTZ, COMPAGNIE C !.. MOT DE PASSE : ANTIETAM !.. ET SACRÉMENT ENVIE D'ALLER DORMIR SERGENT

OUAIS, BEN T'ES PAS LE SEUL !..

ET... C'EST À C'T'HEURE QUE TU RENTRES ?.. LE COUVRE-FEU EST SONNÉ DEPUIS UNE PAYE !..

C'EST À CAUSE DE CES MAUDITES AFFICHES QU'IL A FALLU COLLER PARTOUT.

ALL RIGHT !.. PASSE PAR LÀ POUR REJOIN-DRE LE CAMP... SANS PERMIS SPÉCIAL, PERSONNE NE PEUT APPROCHER DE LA GARE NI DU TRAIN PRÉSIDENTIEL...

EH !.. ÇA FAIT UN FICHU DÉTOUR !.. PITIÉ POUR MES PIEDS, SERGENT !..

ÇA SUFFIT !.. TU EN PROFITERAS POUR POSER TES DERNIÈRES AFFICHES COMME ÇA, DEMAIN, TOUT LE MONDE AURA LE SIGNALE-MENT DE BLUEBERRY DANS L'ŒIL

IMPOSSIBLE DE SE FAUFILER !.. ET DÈS L'AUBE, CE SERA PIRE... MAINTENANT, IL ME FAUT UNE PLANQUE SÛRE D'OÙ JE PUISSE VOIR SANS ÊTRE VU !.. ET VITE !..

COMMENT DIABLE ANGEL FACE COMPTE-T-IL OPÉRER ?.. UN OISEAU AURAIT DU MAL À PASSER

AU MÊME INSTANT À L'INTÉRIEUR DE LA GARE

C'EST, C'EST LA PREMIÈRE FOIS QUE JE REÇOIS LA VISITE DE LA POLICE DES CHEMINS DE FER... SATISFAITS, INSPECTEURS ?..

TOTALEMENT !.. QUOI QU'IL ARRIVE, LE PRÉSIDENT NE POURRA RIEN REPROCHER À LA COMPAGNIE ...

IL EST TARD, LA VILLE EST LOIN... NOUS DEVONS PRENDRE NOTRE POSTE ICI DÈS L'AUBE... AVEZ-VOUS UN COIN OÙ NOUS POURRIONS DORMIR UN PEU ?..

36

UN COIN OÙ DORMIR ?.. HM... AVEC TOUS CES MILI- TAIRES QUI... AH !... IL Y A BIEN LE CAGIBI DU FOND... OU ALORS LE GRENIER... QUE VOUS AVEZ INSPECTÉ TOUT À L'HEURE

LE GRENIER FERA L'AFFAI- RE !.. POUR TROIS HEURES... AU MOINS, ON NE GÈLERA PAS !..

SI J'ÉTAIS LUI, OÙ ME PERCHE- RAIS-JE ?.. GUÈRE DE CHOIX... JE Z GOSH !... C'EST LA RASE CAMPAGNE... LE TOIT DE LA GARE ?.. HMM... AUCUN ACCÈS, PAS MÊME DE LUCARNE !.. ET PAS L'OMBRE D'UNE CACHETTE !..

OK... ON ÉLIMINE LA GARE... QU'EST-CE QU'IL RESTE À ANGEL ? LE CHÂTEAU D'EAU !!

SÛR QUE POUR POUVOIR FUIR ANGEL TIRERA DE LOIN !.. FAISABLE AVEC SON FLIN- GUE PERFECTIONNÉ !..

À CONDITION DE DOMINER LA FOULE ET LE SERVICE D'ORDRE...

L'OBSERVATOIRE IDÉAL !.. ET AUCUN GARDE... IL EST VRAI QUE, DE SI LOIN, AUCUNE PÉTOIRE N'EST CENSÉE POUVOIR TOUCHER LA TRIBUNE AVEC ASSEZ DE PRÉCISION...

...MAIS CES MESSIEURS NE SOUPÇONNENT PAS LA PORTÉE NI LA PRÉ- CISION INCROYABLES DE L'ENGIN D'ANGEL... GOOD LORD !.. ET... ET S'IL ÉTAIT DÉJÀ LÀ- HAUT ?

HM... LA PLANQUE EST TROP FAMEUSE POUR MOI... TANT PIS... JE DOIS COURIR LE RISQUE !.. OK... PERSONNE EN VUE ?.. GO !..

...JE SUIS CONFUS !.. CE RAMASSIS DE VIEILLERIES EST PLEIN DE POUSSIÈRE... ON NE MET LES PIEDS ICI QUE POUR RÉGLER L'HORLOGE DE LA GARE... LÀ-BAS, DANS LE CLOCHETON...

OUAAAH !.. JE TOMBE DE SOMMEIL MOI...

NOUS SERONS TRÈS BIEN !.. PRÊTEZ-NOUS SEULEMENT VOTRE LANTERNE !..

37

BONNE NUIT, GENTLEMEN... TÂCHEZ DE VOUS RÉVEILLER PAR VOUS-MÊMES... DEMAIN JE SERAI TROP OCCUPÉ POUR...

HA HA HA!... LES INSIGNES ET LES PAPIERS DE FLICS DU CHEMIN DE FER DES FRÈRES SINGLETON NOUS FACILITENT LE BOULOT QUE C'EN EST ÉCŒURANT...

CE QUI SERAIT ÉCŒURANT C'EST QU'ON IDENTIFIE LEURS CADAVRES D'ICI DEMAIN MIDI... BIEN SÛR, ON A VIDÉ LEURS POCHES ET CELLES DE DOOGAN MAIS...

PAS DE DANGER... LA POLICE DE DURANGO EST TROP OCCUPÉE À CHERCHER BLUE-BERRY... ILS VONT PAS PERDRE DU TEMPS À METTRE DES NOMS SUR TROIS CADAVRES ANONYMES...

VOUS EN FAITES PAS... ÇA IRA!..

C'EST BIEN CE QUE J'AVAIS REMAR-QUÉ... IL Y A UNE PLACE DANS LE CLOCHETON POUR QU'UN RÉPARA-TEUR PUISSE ACCÉDER AU MOUVEMENT ET AUX CADRANS DE L'HORLOGE

TU Y TIENDRAS À L'AISE AVEC TON FUSIL... D'ICI, TU PLON-GERAS SUR LA TRIBUNE D'OÙ GRANT DOIT PARLER... ELLE EST À MOINS DE CENT YARDS... TU NE PEUX PAS LE RATER!..

JE ME DEMANDE CE QUE DEVIENT BLUEBERRY?.. BAH!.. QUELQU'UN SE CHAR-GERA DE LUI UN MOMENT OU L'AUTRE!.. BLAKE!.. J'AI BESOIN DE LA LAMPE.

?!! PERSONNE !!? ET POURTANT C'EST LE SEUL POSTE DE TIR ENVISAGEABLE POUR FACE D'ANGE, S'IL VEUT AVOIR UNE CHANCE DE FILER APRÈS...

BAH... TANT MIEUX!.. QUAND ILS'AMÈNERA, C'EST MOI QUI AURAI L'AVANTAGE DE LA POSITION... **DIABLE!** C'EST TOUT DE MÊME RUDEMENT LOIN DE LA CIBLE... ET... **ET LA TRIBUNE PRÉSIDEN-TIELLE EST MASQUÉE PAR LA GARE ET LE TRAIN!..**

D'ICI, IMPOSSIBLE DE TOUCHER GRANT QUAND IL PARLERA... PAR CONTRE, C'EST UN ASSEZ BON POSTE POUR L'ABATTRE QUAND IL ARRIVERA EN VOITURE!..

CEPENDANT, EN VILLE...

GENTLEMEN, JE SUIS TERRIBLEMENT INQUIET... BLUE-BERRY COURT TOUJOURS, ET RIEN N'A PU FAIRE RENONCER LE PRÉSIDENT À SON SPEECH...

TOUT CE QUE J'AI PU OBTENIR, C'EST QU'IL SE RENDE À LA GARE DANS UNE BERLINE FERMÉE, AU GALOP ET ENTOURÉE D'UN ESCADRON COMPACT DE CAVALIERS...

OUAIS MAIS... **APRÈS!?**

DE LA SORTIE DE LA CALÈCHE À L'ESCALIER DE LA TRIBUNE, LE PRÉSIDENT SERA, SOIT À COUVERT, SOIT MASQUÉ PAR UN ÉCRAN DE GARDES DU CORPS...

TOUT SE GÂTE DÈS QU'IL APPARAÎT À LA TRIBUNE... PERCHÉ LÀ-HAUT, IL FERA UNE CIBLE PARFAITE...

LA FOULE SERA MAINTENUE À DISTANCE PAR UN TRIPLE RANG DE SOLDATS... GRANT SERA HORS DE PORTÉE DE REVOLVER...

MAIS PAS D'UN FUSIL

MAIS NON, EVANS !... COMMENT, PRESSÉ PAR LA FOULE, UN TUEUR POURRAIT-IL ÉPAULER SANS ÊTRE AUSSITÔT REPÉRÉ ET LYNCHÉ ?...

...D'AILLEURS UNE CENTAINE D'HOMMES À NOUS SERA MÊLÉE À LA FOULE ET VEILLERA AU GRAIN...

VOILÀ !... TOUT EST PARÉ... D'UNE SIMPLE SECOUSSE TU POURRAS ÔTER CE CADRAN DU DEDANS, JUSTE AU MOMENT VOULU, CE QUI TE DONNERA UNE JOLIE VUE SUR LA TRIBUNE... ET LE DOS DE GRANT !

RESTE PLUS À SOUHAITER QUE PERSONNE N'AURA L'IDÉE DE RÉGLER SA MONTRE À CE MOMENT-LÀ...

LES SOLDATS FERONT FACE À LA FOULE, ET CELLE-CI AURA LES YEUX FIXÉS SUR GRANT !... PERSONNE, DEMAIN, NE S'OCCUPERA D'UNE HORLOGE ARRÊTÉE... ET MAINTENANT... DORMONS...

ET, AU PETIT MATIN...

TOUJOURS PAS D'ANGEL FACE... DAMN... IL NE VIENDRA PLUS MAINTENANT... DOOGAN M'AURAIT-IL RACONTÉ DES HISTOIRES ?...

ET POUR COMBLE, ME VOICI BLOQUÉ DANS CE BAQUET... À DEMI CREVÉ DE FATIGUE... J'AURAIS DÛ ÉCOUTER JANET... JAMAIS JE NE TIENDRAI LE COUP SI JE NE DORS PAS QUELQUES... HEY... ÇA GROUILLE DE SOLDATS EN BAS... ET VOILÀ LA FOULE QUI COMMENCE À RAPPLIQUER...

DEBOUT, ANGEL !... JE FILE PRENDRE MON POSTE POUR ASSURER TA FUITE !... BLOQUE LA TRAPPE DERRIÈRE MOI !...

ET... ET SI QUELQU'UN S'AMÈNE ?...

6H 15 À L'HORLOGE DE LA GARE... FFH... LA JOURNÉE VA ÊTRE LONGUE...

BONJOUR REGINALD... MES FIERS-À-BRAS ONT-ILS TROUVÉ BLUEBERRY...

NON MONSIEUR... IL S'EST QUASIMENT ENVOLÉ EN FUMÉE !

POURQUOI MONTERAIT-ON DANS CE GRENIER SANS LUCARNE ?... RESTE CALME, ANGEL, ET CETTE FOIS, NE RATE PAS TA CIBLE...

BAH !... À CENT YARDS... ET CETTE FOIS, JE N'AI PAS BLUEBERRY DANS MON DOS...

SALUT INSPECTEUR !.. BIEN DORMI... LÀ-HAUT ?.. ET VOTRE FRÈRE ?..

DÉJÀ SUR LES VOIES !.. JE VAIS LE REJOINDRE...

IL FAUT POURTANT BIEN QUE... NOM DE NOM !.. LÀ !... BLAKE !?

BLAST IT !... PAR QUEL MIRACLE A-T-IL PU FRANCHIR LES BARRAGES...

HEY, VOUS !.. OÙ ALLEZ-VOUS ?..

INSPECTEUR SINGLETON !.. DE LA POLICE DES CHEMINS DE-FER... JE DOIS CONTRÔLER LA MOTRICE

DAMN !.. JE VAIS FINIR PAR ME FAIRE REPÉRER MOI... À PASSER COMME ÇA MA BOBINE PAR-DESSUS LE REBORD...

TOUT EST EN RÈGLE !.. EXCUSEZ-MOI...

CE N'EST RIEN... JE VIENS FAIRE POUSSER LES FEUX !.. LE PRÉSIDENT PARTIRA AUSSITÔT SON SPEECH TERMINÉ

ET, APRÈS UNE LONGUE ATTENTE...

LIEUTENANT ! FAITES RECULER LA FOULE QUI ATTEND... ELLE EST ENCORE TROP PRÈS DE LA TRIBUNE !.. ET REN-FORCEZ LA HAIE DE TROUPES...

LE PRÉSIDENT ! LÀ-BAS, SUR LA ROUTE... C'EST SÛRE-MENT SON CORTÈGE ! BON SANG !.. SI BLAKE EST LÀ... ANGEL N'EST PAS LOIN... MAIS OÙ ?..

SOYEZ PRÊT À DÉMARRER AUSSI VITE QUE POSSIBLE À MON SIGNAL... ON CRAINT UN ATTENTAT! JE FERAI LE VOYAGE AVEC VOUS, SUR LE TENDER...

COMPTEZ SUR NOUS, INSPECTEUR!

BLAKE EST À BORD DU TRAIN!.. QU'EST-CE QUE ÇA VEUT DIRE?.. ET ANGEL? PFF!.. JE CROIS BIEN QUE... TIENS?!.. LA PENDULE DE LA GARE EST ARRÊTÉE!..

CES OVATIONS!.. GRANT EST LÀ!.. JUSTE À L'HEURE!..

ALORS, EVANS!.. C'ÉTAIT BIEN LA PEINE DE COURIR LA POSTE, DANS CETTE VOITURE FERMÉE COMME UNE HUÎTRE!.. IL NE S'EST RIEN PASSÉ...

PAS ENCORE, MISTER PRÉSIDENT

CETTE ARMADA EST GROTESQUE!.. J'AI L'AIR DE QUOI?..

ALLEZ, MORTIMER!.. NE FAITES PAS CETTE TÊTE-LÀ!.. JE RECONNAIS QUE VOUS FAITES LE MAXIMUM...

DAMN!.. UNE VITRE DE PROTECTION!.. VOILÀ QUI N'ÉTAIT PAS PRÉVU AU PROGRAMME!..

CES OVATIONS!.. GRANT DOIT MONTER SUR SON PODIUM!..

HA!.. VOILÀ!.. UNE VEINE!.. L'ÉTAIT PAS VERROUILLÉE!..

HOURRAH! VIVE LE PRÉSIDENT!

GOOD LORD!.. GRANT VA PARLER ET JE SUIS COINCÉ ICI COMME UN IDIOT, SANS SAVOIR D'OÙ VA PARTIR LA BALLE DE...

OW! QUEL EST L'IDIOT QUI...

DAMN IT!.. LE VERRE DE L'HORLOGE!.. ET LE CADRAN A ÉTÉ ÔTÉ!.. LE VOILÀ, LE POSTE DE TIR IDÉAL!..

HOURRAH! HOURRAH! BRAVO! MES AMIS! MES AMIS! VIVE LE PRÉSIDENT GRANT!

LA CIBLE RÊVÉE!..

BON SANG!.. JE N'AI PAS UNE CHANCE!.. MAIS TROP TARD POUR TENTER AUTRE CHOSE...

?!.. QUE?..

BLAM

Ziiing

BAW

C'EST AVEC UNE ÉMOTION QUI... HÉÉ!?!...

COUCHEZ-VOUS!..

ON... ON A TIRÉ SUR MOI!..

BLOODY HELL!.. J'ÉTAIS REPÉRÉ!.. ON... ON M'A TIRÉ DESSUS!..

C'EST UN ATTENTAT! ATTENTION! ON A VOULU TUER LE PRÉSIDENT

C'EST À BLAKE DE JOUER MAINTENANT!..

ANGEL! LE_ VOILÀ!..

VITE!.. ON TIRE!.. DÉMARREZ!.. VITE!..

42

LE PRÉSIDENT!.. EST-IL SAUF?

LÀ-HAUT!.. C'EST DE LÀ-HAUT QU'ON A TIRÉ!..

NON!.. ÇA VENAIT DE DERRIÈRE!.. DU CHÂTEAU D'EAU!

HEEY!.. LE.. LE TRAIN.. **LE TRAIN S'EN VA!**

BON DIEU!.. CE SALAUD A DES. CEND DU YORK!..

LÀ! ANGEL! HEEE.. LE TRAIN!..

ANGEL A RÉUSSI... WELL!.. MAINTENANT, VOUS AUTRES..."VITE! À TOUTE VAPEUR!"

LÀ! SUR LE WAGON! Y EN A UN QUI S'ÉCHAPPE!..

TIREZ!.. ABATTEZ-LE

O,K... OCCUPE-TOI DES MÉCANOS!.. JE VAIS DÉCROCHER LES VOITURES!..

VITE!.. LE COLT DE MELVIN!..

TIENS!.. DE LA VISITE!..

KOF KOF

CE TYPE VA FINIR PAR SE FAIRE TUER!..

WANTED 20.000$

DAMN! ÇA VA ÊTRE TROP TARD!..

GIR

43

114

LIEUTENANT BLUEBERRY

Texte J. M. CHARLIER   Dessin: GIRAUD

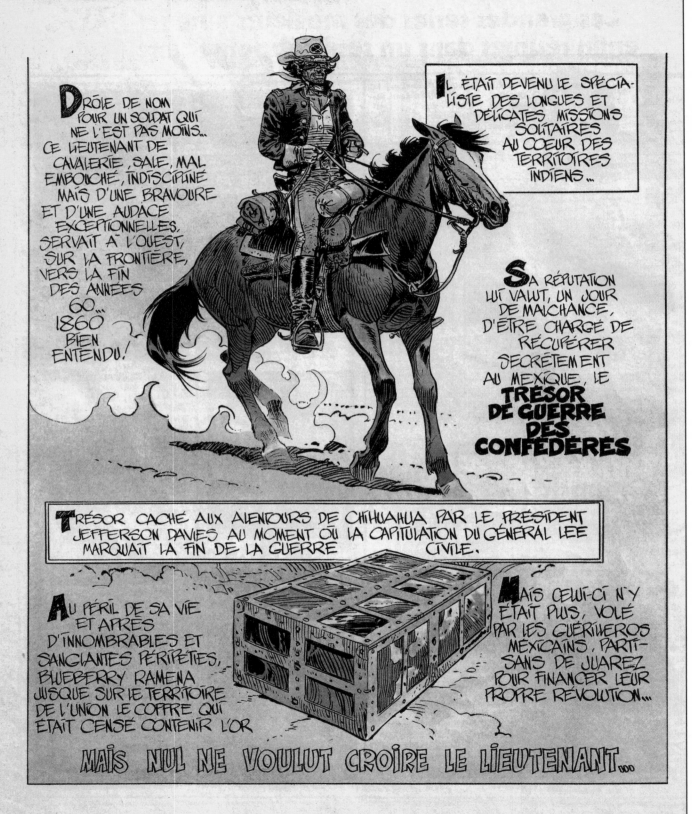

Drôle de nom pour un soldat qui ne l'est pas moins... Ce lieutenant de cavalerie, sale, mal embouché, indiscipliné mais d'une bravoure et d'une audace exceptionnelles, servait à l'ouest, sur la frontière, vers la fin des années 60... 1860 bien entendu !

Il était devenu le spécialiste des longues et délicates missions solitaires au coeur des territoires indiens...

Sa réputation lui valut, un jour de malchance, d'être chargé de récupérer secrètement au Mexique, le TRÉSOR DE GUERRE DES CONFÉDÉRÉS

Trésor caché aux alentours de Chihuahua par le président Jefferson Davies au moment où la capitulation du général Lee marquait la fin de la guerre civile.

Au péril de sa vie et après d'innombrables et sanglantes péripéties, Blueberry ramena jusque sur le territoire de l'Union le coffre qui était censé contenir l'or

Mais celui-ci n'y était plus, volé par les guérilleros mexicains, partisans de Juarez pour financer leur propre révolution...

MAIS NUL NE VOULUT CROIRE LE LIEUTENANT...

4

Pages de résumé des épisodes précédents parues dans Super As n° 1 du 13 février 1979, en introduction à Nez Cassé.

INCAPABLE DE PROUVER SON INNOCENCE, BLUEBERRY SE RETROUVA AU BAGNE... POUR PEU DE TEMPS D'AILLEURS... IL S'ÉVADA GRÂCE À DE MYSTÉRIEUSES COMPLICITÉS

MAIS POUR SE RETROUVER IMPLIQUÉ JUSQU'AU COU DANS UN COMPLOT DIABOLIQUE CONTRE LA VIE DU PRÉSIDENT GRANT... UN COMPLOT POUR LEQUEL BLUEBERRY, DÉJÀ RECHERCHÉ COMME OUTLAW CONSTITUAIT UN PARFAIT BOUC ÉMISSAIRE...

DE JUSTESSE, LE FUGITIF FAIT ÉCHOUER L'ATTENTAT, SAUVE LE PRÉSIDENT GRANT, MAIS SANS AVOIR PU SE DISCULPER DES INCULPATIONS AUSSI INJUSTES QU'ACCABLANTES QUI PESAIENT SUR LUI...

EN FUITE À BORD D'UNE LOCOMOTIVE FOLLE EN COMPAGNIE DU VÉRITABLE... COUPABLE, UN TUEUR SURNOMMÉ "ANGEL FACE"... BLUEBERRY VENAIT D'ENGAGER CONTRE LUI UN MORTEL COMBAT QUAND LA MACHINE DÉRAILLA ET EXPLOSA.

POUR TOUS SES POURSUIVANTS, LE LIEUTENANT MIKE S. BLUEBERRY VENAIT D'ÊTRE RAYÉ DU MONDE DES VIVANTS.

LES MOIS PASSÈRENT... DANS L'OUEST, LA VIE CONTINUAIT, ÂPRE ET SAUVAGE, ET UNE FOIS DE PLUS, LA RÉVOLTE COMMENÇA À GRONDER AU SEIN DES TRIBUS INDIENNES, LOURDE DE MENACES POUR LES PETITES GARNISONS ISOLÉES AUX CONFINS DES MONTS APACHES.

C'ÉTAIT DE LA LÉGITIME DÉFENSE MON CHER... CES CHIENS GALEUX ÉTAIENT VENUS POUR PILLER !

SÛR ! ET C'EST PAS LES TÉMOINS QUI MANQUENT, CHEF.

POR LA VIRGEN SEÑOR, YÉ YOURÉ QUE SÉ LA VERDAD !..

DITES-MOI TOISON !.. QUEL DAMNÉ TOUR DE COCHON D'ESCROC AVEZ-VOUS JOUÉ À MES INDIENS, CETTE FOIS ?..

QU'ESSAYEZ-VOUS D'INSINUER, MAJOR ?

VOUS SERIEZ MOINS FARAUD VIS-À-VIS DES INDIENS SI LE FORT N'ÉTAIT À UN TIERS DE MILE DE VOTRE BARAQUE !

OK MORTON !.. ON NE VA PAS S'EXCITER POUR TROIS POUILLEUX QUE MES GARS ONT UN PEU DÉGRINGOLÉS... PRENEZ PLUTÔT UN DE CES CIGARES... ÇA CALME !..

LE STAGE-COACH D'EL PASO ARRIVE CE SOIR... DEMAIN À L'AUBE, IL REPARTIRA AVEC MON RAPPORT SUR VOS AGISSEMENTS !..

ALLEZ AU DIABLE, MORTON !.. JE VAIS VOUS FAIRE MUTER DANS UN BLED À CÔTÉ DUQUEL CE TROU POURRI EST UN VRAI PARADIS !..

RIEN MAIS CONTINUEZ COMME ÇA ET NOUS AURONS BIENTÔT UNE NOUVELLE GUERRE INDIENNE SUR LE DOS !..

BAH !

... UNE BONNE OCCASION D'EXTERMINER CES SAUVAGES EN RÉCOLTANT DU GALON... PAS VRAI MAJOR !..

... MAIS VOUS, VOUS PRÉFÉREZ VOUS FAIRE DU LARD PLUTÔT QUE DE CAVALER APRÈS LA VERMINE ROUGE... PAS ÉTONNANT, SI ON DOIT FAIRE LA JUSTICE SOI-MÊME, PARTOUT, BON SANG !..

ÇA ARRANGERAIT SURTOUT VOTRE "AMI" DE WASHINGTON, PAS VRAI MORTON !?

EXACT ! ÇA CALME !..

PLUS TARD, À FORT BOWIE.

ALORS BUNCH... VOTRE AVIS...

MMH... C'EST UN RAPPORT COURAGEUX, PAUL... MAIS ÇA NE CHANGERA RIEN, J'EN AI PEUR... LES POLITICIENS QUI L'ONT FAIT NOMMER AGENT DES AFFAIRES INDIENNES DOIVENT ÊTRE DES HUILES DE WASHINGTON !..

CES MONTAGNES SONT TRUFFÉES DE FILONS D'ARGENT QUE LORGNENT LES GROS BONNETS DE L'EST... MAIS, HÉLAS, ELLES SE TROUVENT EN TERRITOIRE NAVAJO, ET NOUS AVONS FAIT LA PAIX AVEC EUX...

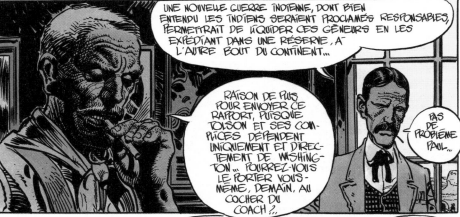

UNE NOUVELLE GUERRE INDIENNE, DONT BIEN ENTENDU LES INDIENS SERAIENT PROCLAMÉS RESPONSABLES, PERMETTRAIT DE LIQUIDER CES GÊNEURS EN LES EXPÉDIANT DANS UNE RÉSERVE, À L'AUTRE BOUT DU CONTINENT...

RAISON DE PLUS POUR ENVOYER CE RAPPORT, PUISQUE TOLSON ET SES COMPLICES DÉPENDENT UNIQUEMENT ET DIRECTEMENT DE WASHINGTON... POURREZ-VOUS LE PORTER VOUS-MÊME, DEMAIN, AU COCHER DU COACH ?...

PAS DE PROBLÈME, PAUL...

CEPENDANT

ON Y A ÉTÉ UN PEU FORT, TOLSON... C'EST LA PREMIÈRE FOIS QU'ON CASSE DU ROUGE !... SI LEUR CHEF VA SE PLAINDRE À MORTON, ON VA SE...

ÇA LUI VAUDRAIT LES PIRES ENNUIS CLYDE... IL LUI FAUDRAIT AVOUER QUE SES BRAVES ONT TROQUÉ LEUR STOCK DE PEAUX CONTRE DE L'ALCOOL ET DES ARMES !...

DEUX DENRÉES STRICTEMENT PROHIBÉES... IL SERAIT LE PREMIER INQUIÉTÉ, NON ?... RIEN À CRAINDRE DE CE CÔTÉ !...

OUAIP !... MOI, ÇA M'ÉTONNERAIT QUE LES NAVAJOS N'ESSAIENT PAS DE VENGER LEURS MORTS !... ILS VONT NOUS TOMBER DESSUS AVANT PAS LONGTEMPS

JE VOUDRAIS BIEN ! MAIS AVEC LE FORT À 500 YARDS, ÇA M'ÉTONNERAIT... MAIS O.K. ON VA SE BOUCLER SOIGNEUSEMENT AU RELAIS ET ATTENDRE LA SUITE DES ÉVÉNEMENTS !...

ATTILIO, TU MONTERAS LA GARDE SUR LE TOIT DE L'ÉCURIE

AU MÊME INSTANT, NON LOIN DU SOMMET D'APACHE PASS.

HO !... CONDUCTEUR !... FORT BOWIE EST ENCORE LOIN ? CE VOYAGE EST MORTEL !...

L'ÉTAIT SACREMENT PLUS, IL Y A SEULEMENT DEUX ANS, L'AMI, VOUS Y LAISSIEZ... HI, HI !... VOTRE SCALP !... SÛR... Y EN A PAS BEAUCOUP QUI SORTAIENT VIVANTS DE CETTE PASSE !... ET ÇA DURAIT DEPUIS SIX ANS...

COCHISE ET SES APACHES TERRORISAIENT TOUT LE PAYS C'EST ICI QUE MANGUS COLORADO ET LUI ONT DÉCIMÉ LA COLONNE CARLETON EN... EN 63 !...

C'EST UN BLANC-BEC D'OFFICIER - STRAWBERRY OU UN DRÔLE DE NOM COMME ÇA - QUI A FINI PAR RAMENER LA PAIX, EN FAISANT COPAIN-COPAIN AVEC COCH...

OH !... BON DIEU !... TOM !... REGARDE !

LE PREMIER QUI BOUGE EST MORT !..

MALDITO !.. LOS INDIOS !..

SI LES HOMMES ROUGES TIRENT, ILS SERONT TOUS PENDUS... LE FORT N'EST PAS LOIN ET...

NAVAJOS SAVOIR !.. C'EST POURQUOI EUX "EMPRUNTER" VOITURE AUX VISAGES PÂLES !.. POUR POUVOIR VISITER TOI "DISCRÈTEMENT"

JE... JE NE SUIS PAS L'ENNEMI DES HOMMES ROUGES !.. SI J'AI DÛ TIRER, CE MATIN, SUR DES GUERRIERS... C'EST QUE... HEU... ILS ME MENAÇAIENT !.. ILS VOULAIENT ME TUER !..

MENSONGE !..

ILS EXIGEAIENT SEULEMENT RÉPARATION !.. L'ALCOOL QUE TU LEUR AS REFILÉ A TUÉ TROIS HOMMES ET RENDU DEUX AUTRES AVEUGLES !..

LA FARINE ÉTAIT POURRIE !.. PLEINE DE VERS !..

TOI VOLEUR ET LANGUE FOURCHUE

ET POUDRE PLEINE DE SABLE !.. PAS POSSIBLE TIRER !..

HÉ JOÉ !.. C'EST LE MOMENT OÙ JAMAIS...

ARGH !..

CHK

CEPENDANT

UN PEU CASSE-COU, VOTRE RACCOURCI, COCHER !..

ÇA NOUS FAIT GAGNER QUELQUES MILES !..

FAMEUSE PROTECTION QUE LA VÔTRE MISTER HICOCK !..

EUH...

MA'AM !.. MA PRÉSENCE NOUS A ÉVITÉ PIRE QUE LA MORT : LE DÉSHONNEUR ! CES PILLARDS M'ONT RECONNU !.. ILS SAVAIENT, S'ILS VOUS TOUCHAIENT, QUE, DUT-IL LES POURCHASSER JUSQU'EN ENFER, "WILD" BILL HICOCK LES...

POUR L'AMOUR DU CIEL, FERME DONC TA GRANDE GUEULE, BILL... ET ESTIME-TOI HEUREUX, COMME NOUS TOUS, D'ÊTRE ENCORE VIVANT AVEC TON SCALP SUR TA TÊTE !..

... MÊME QUE C'EN EST À PEINE CROYABLE... NORMALEMENT CES COYOTES MASSACRENT OU TORTURENT... ET ILS NOUS ONT JUSTE UN PEU BOUSCULÉS !..

PARDI, GENTLEMEN... AUCUN D'ENTRE VOUS N'A LEVÉ MÊME LE PETIT DOIGT POUR RÉSISTER AUX SAUVAGES... ILS AURAIENT PU ME VIOLER SOUS VOS YEUX SANS QUE...

ALLONS, YOUNG LADY... NOUS ÉTIONS TOTALEMENT À LEUR MERCI...

ET QUE TRENTE DIABLES EMBUSQUÉS NOUS CERNAIENT ET NOUS TENAIENT DANS LEUR LIGNE DE MIRE...

!!

LEUR PIÈGE POUR NOUS FAIRE DESCENDRE DE LA DILIGENCE ÉTAIT DIABOLIQUE...

QUI AURAIT PU DEVINER QUE CE "CADAVRE" DE SOLDAT QUI NOUS BARRAIT LE PASSAGE ÉTAIT UN NAVAJO BIEN VIVANT ET PRÊT À NOUS BRAQUER !..

AVANT D'AVOIR LEVÉ UNE ARME NOUS AURIONS ÉTÉ HACHÉS SUR PLACE...

TOUT À FAIT BIZARRE CE TRAQUENARD... ÇA NE COLLE PAS AVEC LE STYLE HABITUEL DES INDIENS !..

JE DIRAIS MÊME : INCOMPRÉHENSIBLE : À PART NOS FRUSQUES, NOS ARMES ET LA VOITURE, ILS NE NOUS ONT RIEN VOLÉ !..

VOUS OUBLIEZ MON CHAPEAU, UN TOUT NOUVEAU MODÈLE, DE ST LOUIS

OBJECTION, MA CHÈRE, LE GRAND DIABLE MUET QUI COMMANDAIT L'ATTAQUE VOUS L'A ÉCHANGÉ CONTRE UN CAILLOU QUI N'AVAIT PAS L'AIR SANS VALEUR !..

PFF... ÇA VALAIT BIEN ÇA !.. UNE NOUVEAUTÉ ARRIVÉE TOUT DROIT DE PARIS !

JE VOUS OFFRE DIX CHAPEAUX COMME LE VÔTRE CONTRE CETTE TURQUOISE, MA JEUNE DAME !.. QUELLE MERVEILLE !

NON MAIS OÙ VOUS VOUS CROYEZ ?.. BON SANG, C'EST QUAND MÊME PAS POUR PIQUER UN CHAPEAU, DES FRUSQUES ET UN ATTELAGE QUE CES FOUTUS COYOTES ONT PRIS LE RISQUE DE RALLUMER LA GUERRE, NON ?

BIEN PARLÉ, PARSHING, REVOICI LA ROUTE... JE PROPOSE QU'ON CAMPE ICI MOI.

JE PENSE AVOIR L'EXPLICATION DU MYSTÈRE...

FORT BOWIE !.. C'EST POUR POUVOIR Y PÉNÉTRER PAR SURPRISE QUE LES NAVAJOS NOUS ONT VOLÉ LA DILIGENCE...

MON DIEU !.. MON MARI EST EN GARNISON LÀ-BAS...

IL N'Y A RIEN À CRAINDRE LADY... LA GARNISON COMPTE 200 HOMMES, ET LE RELAIS N'EST PAS AU FORT MAIS BIEN AVANT...

N'IMPORTE COMMENT, NOUS NE POUVONS QU'ATTENDRE L'AUBE ICI... IL FAIT TROP NOIR POUR CONTINUER À AVANCER...

BONNE IDÉE... JE SUIS ÉPUISÉE !

EN NE VOYANT PAS ARRIVER LA VOITURE, TOISON, LE PATRON DU RELAIS ALERTERA LE FORT QUI ENVERRA UNE PATROUILLE DÈS LE LEVER DU SOLEIL !.

PRIONS POUR QUE TOUT SE PASSE COMME VOUS L'AVEZ DIT !.

CEPENDANT, AU TRADING POST

PITIÉ !.. PRENEZ T...TOUT CE QUE VOUS V...V...VOULEZ ! MAIS L...LAISSEZ-MOI LA V...VIE !..

QUÉ COBARDE PFFT !

NOUS PRENDRE CE QUE TU NOUS DOIS SEULEMENT... PLUS PETIT DÉDOMMAGE-MENT POUR CHAQUE BRAVE TUÉ PAR TOI... OKAHETO !.. FAIS CHARGER LA VOITURE !.. ET ATTELER DES CHEVAUX FRAIS !.

KÉ-TON-KA !.. ALLUME TOUTES LES LAMPES... QUE TOUT PARAISSE NORMAL VU DU FORT... NAKÌ !.. RIEN À SIGNALER ?

TUNIQUES BLEUES PAS BOUGER TSI-NA-PAH !..

?!!? TSI-NA-PAH ? ??!

NOUS, FINI TOUT PRENDRE, TSI-NA-PAH !..

ET BEN... NOUS VOILÀ JOLIMENT LESSIVÉS !

MIEUX VAUT ÊTRE RUINÉS QUE SCALPÉS, IMBÉCILE !.

HEY !.. QU'EST-CE QUE C'EST QUE ÇA, LÀ-BAS !.

NOUS TROUVER EAU-DE-FEU, TSI-NA-PAH !.

MES FRÈRES ONT-ILS PERDU LA TÊTE ? OU VEULENT-ILS ACHEVER DE TUER LE RESTE DE NOS HOMMES !.. LAISSEZ ÇA !.

CHEF ! CELLE DES CRU-CHONS EST BIEN MEILLEURE ! C'EST L'EAU-DE-FEU DES BLANCS... LA MIENNE, UE... JE TE L'OFFRE !.

TOI, N'ESPÈRE PAS T'EN TIRER À SI BON COMPTE, FACE DE RAT !.

CEPENDANT, AU FORT TOUT PROCHE

NERVEUX WILLIAMS ?

UN PEU, SIR !.. À LA TOMBÉE DE LA NUIT, J'AI APERÇU LA DILIGENCE QUI PÉNÉTRAIT DANS LE RELAIS... MA FEMME AURAIT DÛ ÊTRE À BORD !.

OH ! LE GRAND CACHOTIER ! C'EST POUR ÇA QU'IL FAIT ASTIQUER SA BARAQUE PAR LES BLEUS DEPUIS UNE SEMAINE !

Z'AURIEZ PU PRÉVENIR, WILLIAMS, QUE JE PRENNE UN BAIN...

LA DATE N'ÉTAIT PAS CERTAINE !... À PREUVE, MAJOR...

SUR QUE SI VOTRE CHÉRIE AVAIT ÉTÉ DANS SA GIMBARDE, TOM L'AURAIT AMENÉE JUSQU'ICI !... BAH ! CE SERA POUR LE PROCHAIN COACH DANS SIX JOURS...

HEY !... VOTRE... IMPATIENCE DE JEUNE MARIÉ... ME FAIT PITIÉ, WILLIAMS... ALLEZ TROUVER LE TOUBIB, IL VOUS REMETTRA UN PLI QUE VOUS PORTEREZ À TOM IMMÉDIATEMENT... IL AURA PEUT-ÊTRE DES NOUVELLES DE THELMA

MERCI, SIR !

BON... IL EST TEMPS... AINSI CHARGÉS, IL FAUDRA ÊTRE LOIN QUAND LE SOLEIL SE LÈVERA !...

AVANT DE PARTIR, GUERRIERS, SAIGNER CES CHIENS BLANCS COMME ILS MÉRITENT !

NON !

ARRÊTE !

VITTORIO AURAIT-IL DEUX PAROLES ?... IL A JURÉ DEVANT LES SAGES DE LA TRIBU QU'IL NE FERAIT PAS COULER LE SANG !...

JE SAIS, TSI-NA-PAH !... MAIS, DÉJÀ, UN HOMME EST MORT !...

ET CE BLANC A TUÉ LE FRÈRE DE VITTORIO !! LAISSE-MOI LE TUER !!

VA-T-IL FALLOIR QUE JE LUTTE CONTRE MON AMI..., POUR L'EMPÊCHER DE ROMPRE SON SERMENT ?

TSI-NA-PAH VA-T-IL REFUSER JUSTICE À L'ESPRIT DE MON FRÈRE ?

N'AIE CRAINTE VITTORIO !... TON FRÈRE VA ÊTRE VENGÉ !

HEY !... QU'ALLEZ-VOUS FAIRE ?! VOUS N'ALLEZ TOUT DE MÊME PAS LES LAISSER ME... HOOO... NON !

MAIS NON ! VOUS ALLEZ SEULEMENT TRINQUER...

HEIN !?

...AU SAIN RÉTABLISSEMENT DE PLUS JUSTES RELATIONS DE TROC ENTRE LE BUREAU DES AFFAIRES INDIENNES ET LES HOMMES ROUGES...

VOYONS... VOUS N'ALLEZ PAS REFUSER DE DÉGUSTER VOTRE PROPRE PRODUCTION NON ?

OU TU BOIS, OU JE TE COUPE LA GORGE... O.K ?!

HI, HI !... À TA SANTÉ... HI, HI...

T'IMPATIENTE PAS, L'AMI !... TU AURAS DROIT, TOI AUSSI À TA RATION DE GNÔLE MAISON !

88

127

CEPENDANT, À FORT BOWIE

GUÈRE PRUDENT DE SORTIR EN PLEINE NUIT, SIR !..

JE POUSSE TOUT JUSTE JUSQU'AU TRADING POST, SERGENT

TSI-NA-PAH A TORT !.. MIEUX AURAIT VALU LES RENDRE MUETS POUR TOUJOURS !..

ÇA SUFFIT, VITTORIO... ILS ONT LEUR COMPTE... BOUCLE-LES DANS LA REMISE AVEC LES DEUX MEXICAINS ET, EN ROUTE POUR LE CAMP DE LA MONTAGNE !..

ET BIENTÔT

TIENS... BIZARRE !.. TOLSON N'A PAS L'HABITUDE DE LAISSER TOUT GRAND OUVERT EN PLEINE NUIT...

AH ÇA !.. OÙ DIABLE EST LA DILIGENCE ? ET... IL N'Y A PLUS UN CHAT ICI... QU'EST-CE QUE ÇA PEUT BIEN VOULOIR DIRE ?..

LA PISTE S'ARRÊTE ICI, TSI-NA-PAH !..

O.K. !.. STOP !.. ON VA CHARGER LES CHEVAUX DE BÂT !..

HELL !..

ÉCARTEZ-VOUS

POR AQUI, SEÑOR !.. AYUDA !

PAW

128

"TSÏ-NA-PAH!" LES INDIOS L'ONT APPELÉ "TSÏ-NA-PAH" J'EN SUIS SÛR... J'AI DEMANDÉ À L'INDIENNE QUI VIT AU RELAIS...

...TSÏ-NA-PAH VEUT DIRE "NEZ-CASSÉ" EN LANGAGE NAVAJO...

NEZ-CASSÉ ?!!

VOUS LE CONNAIS-SEZ ?

ÇA VOUS DIT QUELQUE CHOSE ?...

DAMN IT SI ÇA ME DIT QUELQUE-CHOSE... ET COMMENT...

JE NE SUIS MÊME ICI QUE POUR ÇA! EN FAIT, IL S'AGIT D'UNE VIEILLE ET LONGUE HISTOI-RE!...

NAHABEEHO... TOI QUI CONNAIS BIEN CHINT DIS-MOI SI ELLE EST VRAIMENT FÂCHÉE CONTRE MOI...

TSÏ-NA-PAH... "VISAGE PÂLE STUPIDE..."

CHINT: PRINCESSE !... TOI PAS AVOIR FAIT BON CADEAU POUR PRINCESSE! TOI VOIR VITTORIO, BIENTÔT LUI SÛREMENT FAIRE À CHINT UN VRAI CADEAU POUR PRINCESSE...

ÇA VA... N'EN JETEZ PLUS...

IL Y A UN PEU PLUS D'UN AN... BEAUCOUP PLUS À L'OUEST...

DE DURANGO... UN ANCIEN OFFICIER CON-DAMNÉ...

...POUR VOL S'ÉVADAIT ET TENTAIT D'ASSAS-SINER LE PRÉSIDENT GRANT...

SEUL LE HASARD FIT ÉCHOUER L'ATTENTAT...

PRESSÉ DE TOUTES PARTS, CE DÉMON PARVINT À S'ÉCHAPPER GRÂCE À L'IN-CENDIE CRIMINEL QUI RÉDUISIT UNE PARTIE DE LA VILLE EN CENDRES

AVAIT-IL ÉTÉ VOLATILISÉ PAR L'EXPLOSION ?...

AVAIT-IL MIRACU-LEUSEMENT ÉCHAPPÉ ? ON NE PUT JAMAIS L'ÉTABLIR... CE QU'ON SAIT, C'EST QU'UN PARTI NAVAJO RÔDAIT DANS LA RÉGION À CE MOMENT-LÀ !...

REWARD

MIKE S. BLU...

50.000 $

APRÈS UN SECOND ATTENTAT, CE DIABLE D'HOMME S'ENFUIT À NOU-VEAU AVEC UN COMPLICE, À BORD DE LA LOCOMOTIVE DU TRAIN PRÉ-SIDENTIEL... MAIS DANS UN VIRAGE DANGEREUX, LA MACHINE, LANCÉE À TROP GRANDE VITESSE, DÉRAILLA ET EXPLOSA

DANS LES DÉBRIS, ON NE RETROUVA QUE LE COMPLICE DU TUEUR, UN TYPE SURNOMMÉ ANGEL FACE, HORRIBLEMENT BRÛLÉ ET DÉFIGURÉ, MAIS QUI SURVÉCUT... PAR CONTRE AUCUNE TRACE DE L'ASSASSIN PRINCIPAL...

OR, LE SIGNALEMENT DE CE BANDIT, UN EX-LIEUTENANT NOMMÉ BLUEBERRY INDIQUAIT COMME SIGNE PARTICULIER : UN NEZ CASSÉ

HOME SWEET HOME

AINSI, VOUS PENSEZ QUE TSI-NA-PAH ET BLUEBERRY NE FONT QU'UN !?!!!

COMMENT DIABLE A-T-IL PU SORTIR VIVANT DU DÉRAILLEMENT ET DE L'EXPLOSION !?

IL A SANS DOUTE PU SAUTER DE LA LOCOMOTIVE, QUELQUES SECONDES AVANT QU'ELLE NE S'ÉCRASE...

INIMAGINABLE... ET POURTANT... CET APACHE QUI NE SE CONDUIT PAS EN APACHE !

...ET QUI PARLE UN ANGLAIS PARFAIT... SI SEÑOR... SANS LE MOINDRE ACCENT...

POUR MOI GENTLEMEN, MA CONVICTION EST FAITE: C'EST BIEN LÀ L'HOMME QUE JE RECHERCHE

MAIS POURQUOI CET ACHARNEMENT CONTRE UN HOMME QUI S'EST COMPORTÉ COMME UN GENTLEMAN ?

VOUS OUBLIEZ SES CRIMES ANTÉRIEURS, MA CHÈRE...

ET POUR MOI, IL VAUT UNE FORTUNE... 10000 DOLLARS MORT OU VIF !

MESSAGE, SIR... LA RÉPONSE AU CÂBLE DE CE MATIN...

PENDANT QUE VOUS PARTIEZ EN PATROUILLE, BUNCH, J'AI ALERTÉ WASHINGTON... M'H... VOYONS... «ORDRE DE RATTRAPER ET DE PENDRE LES PILLARDS DE LA DILIGENCE»

MAIS ALORS C'EST LA GUERRE !...

LES BLANCS N'ADMETTRONT JAMAIS QUE NOUS NOUS SOYONS FAIT JUSTICE NOUS-MÊMES

COCHISE DOIT RÉUNIR IMMÉDIATEMENT UN POW-POW AVEC TOUS LES GUERRIERS !...

ET, CETTE NUIT-LÀ, À L'APPEL DU VIEUX CHEF, LES HOMMES DE LA TRIBU SE SONT ASSEMBLÉS

!?! COCHISE NE VOIT NI TSI-NA-PAH, NI SES AMIS... POURQUOI NE SONT-ILS PAS AU CONSEIL ?

ENCORE ?... MÊME LEURS SQUAWS NE CROIENT PLUS À CETTE FABLE !

COMME TOUTES LES NUITS, ILS SONT ENFERMÉS DANS LEUR KIVA À ÉVOQUER LES ESPRITS...!

ILS ACCOMPLISSENT UNE MAUVAISE MAGIE DE BLANC... UNE NUIT, J'AI SURPRIS LEURS INCANTATIONS... AUCUNE NE RESSEMBLAIT AUX RITES SACRÉS...

PAROLE !

DEUX CARTES !

PAS POUR MOI... SERVI ! ET JE RELANCE DU DOUBLE !

BLUFF ! TSI-NA-PAH ESSAYE ENCORE DE NOUS REFILER UNE MÉCHANTE PAIRE DE DIX POUR UN FLUSH ROYAL !

PAROLE

TANA TAPS POUR VOIR !

ET ÇA... C'EST UNE PAIRE DE DIX, OUAIS?... FULL AUX ROIS PAR LES AS

TANA COMPLÈTEMENT RATISSÉ!

MES FRÈRES... ENTENDENT-ILS LES TAMBOURS?... LE POW-POW COMMENCE

VAUT MIEUX Y ALLER... NOUS FINIRONS NOTRE PETITE PARTIE PLUS TARD...

J'AVAIS UN SUPERBE FULL AUX VALETS... TSI-NA-PAH EST CHANCEUX!...

L'ESPRIT DES CARTES EST AVEC LUI!

LES SQUAWS VONT ENCORE ÊTRE FURIEUSES

SURTOUT CELLE DE TANA! HIHI!...

PLUS TARD...

MON FILS TSI-NA-PAH A-T-IL UN AVIS À DONNER À SES FRÈRES ROUGES SUR LA CONDUITE QUE VONT SUIVRE LES TUNIQUES BLEUES? QU'IL PARLE!

LES LONGUES-LAMES VONT SÛREMENT CHERCHER UNE REVANCHE!... LE PUEBLO EST EN DANGER... SI MES FRÈRES SONT SAGES, ILS QUITTERONT LES SIERRAS ET PASSERONT LA FRONTIÈRE POUR QUELQUES LUNES...

FUIR? ENCORE?!! TSI-NA-PAH NE PARLE JAMAIS QUE DE FUITE!

OU BIEN TSI-NA-PAH A L'ÂME D'UNE VIEILLE SQUAW OU BIEN IL CHERCHE À PROTÉGER SES ANCIENS FRÈRES BLANCS DE LA JUSTE VENGEANCE DES HOMMES ROUGES.

JE VOIS QUE VITTORIO CHERCHE À PROVOQUER MA COLÈRE!

TSI-NA-PAH EST RUSÉ, MAIS LE MOINDRE DE NOS JEUNES GUERRIERS MONTRE PLUS DE COURAGE EN CONQUÉRANT SA PREMIÈRE PLUME D'AIGLE!

TSI-NA-PAH LUI, NE CONNAÎT QUE LA FUITE!...

TSI-NA-PAH EST VAILLANT ET LOYAL!... COCHISE L'A TOUJOURS CONNU TEL!

TSI-NA-PAH S'EST EMPARÉ DE L'ESPRIT DE COCHISE!... AUCUN DES BRAVES DE CETTE TRIBU N'EST-IL CAPABLE D'ÊTRE CHEF DE GUERRE?... POURQUOI LUI? POURQUOI?

CE QUE COCHISE A DÉCIDÉ RESTERA DÉCIDÉ!... J'AI DIT!

ALORS, QUE TSI-NA-PAH NOUS PROUVE SA BRAVOURE EN NOUS MENANT ENFIN AU COMBAT!...

VITTORIO A RAISON!

PLUS TARD

TSI-NA-PAH DOIT RESTER AVEC NOUS... COCHISE ET LUI ONT ÉCHANGÉ UNE PROMESSE: COCHISE PROTÈGE TSI-NA-PAH ET TSI-NA-PAH AIDE LA TRIBU...

LES NAVAJOS ONT BESOIN DE TSI-NA-PAH... ILS PENSENT EN HOMMES ROUGES, LUI EST BLANC... QUI, MIEUX QUE LUI PEUT DEVINER ET DÉJOUER LES RUSES DES VISAGES PÂLES?

VITTORIO A BIEN PARLÉ

O.K. CHEF!... MAIS EN CE CAS, VA FALLOIR QUE JE REDORE MON PRESTIGE AUX YEUX DES JEUNES GUERRIERS... ET AUTREMENT QU'AU POKER

135

AH NON!.. AVEC CETTE GUERRE QUI MENACE... PAS D'ENFANTS ICI! NON O'BANNION!.. **NON!** ET D'AILLEURS... JE LES CROYAIS TOUS HEU... HEM!.. ENFIN...

TSS TSS... VA FALLOIR QUE JE VOUS PRÉSENTE MES CHÉRIS, MAJOR!

HA HA! ELLE EST BIEN BONNE!

MAUDITE CAILLASSE!.. J'AI BIEN CRU NE JAMAIS Y ARRIVER AVANT LA NUIT!

AVANT L'AUBE JE RELÈVERAI MES PIÈGES ET PRENDRAI L'AFFÛT!

L'ÂGE A USÉ LE POUVOIR DE COCHISE, AU LIEU D'ATTAQUER LE FORT AVANT L'ARRIVÉE DES RENFORTS, IL VA FUIR COMME LE VEUT TSI-NA-PAH!

MAIS VITTORIO, MON PÈRE A RÉUNI LE CONSEIL DE LA TRIBU CE SOIR, POUR QUE TU PUISSES PARLER...

LES MOTS SONT MAINTENANT INUTILES... VITTORIO N'A QUE FAIRE DU POW-WOW... IL PRÉ-FÈRE RESTER AVEC CHINI...

MAIS IL FAUDRA CHOISIR ENTRE VITTORIO ET LE VISAGE PÂLE... ENTRE LE PUMA ET LE CHIEN DE PRAIRIE...

ET BIEN SÛR C'EST TOI, VITTORIO, QUI ES LE PUMA!...

VITTORIO SAIT OÙ ALLER LES PRENDRE! ET IL PROUVERA EN MÊME TEMPS À COCHISE ET À TOUS, ICI, QU'IL EST DIGNE D'ÊTRE CHEF DE GUERRE... BIEN MIEUX QU'EN ARRACHANT QUELQUES PLUMES À UN AIGLE!.. HUGH!

PLUS TARD

VITTORIO!?

CEPENDANT

HI, HI, HI... VOICI MES FILS CHÉRIS MAJOR... GOG ET MAGOG!.. DEUX TUEURS PARFAITS... SILENCIEUX, MORTELS RAPIDES COMME SERPENTS À SON-NETTE... ET ILS RENIFLENT LE MOINDRE RELENT DE PEAU ROUGE À UN MILE À LA RONDE!

"EGGSKUL!" SE LOUE AVEC SES FAUVES AUX PIONNIERS VICTIMES DES RAPINES DES INDIENS... AVEC LEUR AIDE... J'AURAI BLUEBERRY!.. GEDEON N'A JAMAIS CONNU L'ÉCHEC!..

GOOD LORD!

EN VOICI LA PREUVE!.. HI HI HI...

DES SCALPS!

DES SCALPS D'INDIENS!

..ET VOUS AVISEZ PAS DE LEUR FAIRE DES GRATOUILLIS ENTRE LES OREILLES YOUNG LADY... ILS NE CONNAISSENT QUE MOI ET N'IMPORTE QUI Y LAISSERAIT LA MAIN... LES PLANTEURS LES UTILISAIENT DANS LE SUD POUR RATTRAPER LES ESCLAVES ÉVADÉS...

CE SONT DES FAUVES, YOUNG LADY!... POUR LES "FAIRE" JE LES AI DONNÉS À MALTRAITER À DES INDIENS, TOUT EN LES DRESSANT À TRAQUER LEURS BOURREAUX, À RETROUVER LEUR MOINDRE ODEUR DANS LE SILENCE LE PLUS TOTAL!

HEU...

PERMETTEZ QUE JE ME RETIRE, MAJOR... CE...CES CHIENS ME FONT PEUR...

NON, YOUNG LADY!... C'EST À MOI DE ME RETIRER, SORRY, MAIS, MES "CHÉRIS" ET MOI, ON NE SE QUITTE JAMAIS... YOUNG LADY, MAJOR, GENTLEMEN...BONNE NUIT...

DEMAIN SERA RUDE, MES CHÉRIS... SI LES NAVAJOS SE TERRENT, VOUS N'AUREZ AUCUNE TRACE FRAÎCHE...

CEPENDANT

POURQUOI N'AS-TU PAS TENTÉ D'ARRÊTER VITTORIO?... NUL NE DEVAIT SORTIR DU PUEBLO!... JE... HEY... QUELQU'UN EST VENU ICI!

QUELQU'UN A FOUILLÉ MON PARFLÈCHE* SANS MÊME LE REFERMER

TOUS LES GUERRIERS ÉTAIENT AU POW-POW!

TOUS SAUF UN : **VITTORIO!**... OOH... LES "YEUX QUI RAPPROCHENT" LE CADEAU DE PAIX DU GÉNÉRAL CROOK...VOLÉS! QUEL PLAN INSENSÉ A-T-IL BIEN PU IMAGINER?..

VOICI L'AUBE... IL EST TEMPS DE RELEVER MES PIÈGES ET DE PRENDRE MON AFFÛT...

TOI...TU VAS FAIRE UN APPÂT IDÉAL!

VAS-Y CAMARADE... ÉGOSILLE-TOI... AGITE-TOI!... C'EST LE PLUS SÛR MOYEN DE RAMENER UN AIGLE DANS LES PLUS BREFS DÉLAIS...

* SORTE DE MUSETTE EN PEAU DE BISON.

MRS BUNCH EST INDEMNE !.. ELLE REVIENT À ELLE !..

J'AI DÛ ÉGRATIGNER CE CHIEN ROUGE, SINON IL ME CLOUAIT LA GORGE AVEC TOUT CE BEL ACIER !

RALPH !

DU CALME, THELMA !.. TOUT VA BIEN .. VOTRE MARI S'EN TIRERA !.. IL A PRIS UN COUP DE COUTEAU, MAIS LA LAME A GLISSÉ SUR UNE CÔTE !..

PAS D'AUTRE APACHE AUX ALENTOURS, SIR !..

APPAREMMENT, IL S'EST INTRODUIT SEUL DANS LE FORT, APRÈS AVOIR TUÉ UNE SENTINELLE... UN VOLEUR...

IL SERA PENDU À L'AUBE ! BOUCLEZ-LE SOUS BONNE GARDE !..

PLUS TARD

CE COLORADO EST UN DE CEUX QUI NOUS ONT ATTAQUÉS... SEGURO QUE ST JÉFE ! C'ÉTAIT LUI LE PLUS ENRAGÉ

C'EST LUI QUI VOULAIT LA PEAU DE TOISON ET DE CLYDE TOUT DE SUITE !..

DAMN IT BLUEBERRY N'EST PAS LOIN !..

C'EST CLAIR ! IL NE RESTE PLUS QU'À LUI FAIRE AVOUER OÙ SE CACHE LE RESTE DE SA TRIBU AVANT DE LE PENDRE !

RIDICULE !!! HIHI !! VOYONS, MAJOR !! SOYEZ SÉRIEUX !

L'INDIEN SE LAISSERA TORTURER À MORT SANS OUVRIR LA BOUCHE MÊME POUR GÉMIR !..

GÉDÉON A RAISON, MAJOR ! VOUS N'EN TIREREZ PAS UN MOT !..

.. MAIS AVEC L'AIDE DE GOG ET MAGOG, IL NOUS MÈNERA SANS MÊME S'EN DOUTER AU PUEBLO SECRET DE COCHISE ... MAJOR, JE SAIS QUE VOUS ALLEZ HURLER MAIS ÉCOUTEZ MON PLAN !..

OK... DITES TOUJOURS !..

BLOOD'ND GUTS! OÙ? QU'EST-CE QUE? EHY! J..J'AI LA T..TÊTE QUI ME TOUR-NE! P..PERDU TROP DE SANG

VOICI TROIS JOURS QUE VITTORIO ET TSI-NA-PAH SONT PARTIS, COCHISE! ENVOYONS DES BRAVES À LEUR RECHERCHE

NON! SI LES TUNIQUES BLEUES REPÈRENT UN SEUL D'ENTRE NOUS, NOUS SOMMES PERDUS... MAIS JE SENS LE DANGER SUR NOUS! QUE TOUT SOIT PRÊT POUR LE DÉPART

JE VAIS T'EXTRAIRE LA BALLE QUE NOTRE AMI T'A LOGÉE DANS LA CUISSE... ÇA T'ÉTONNE HEIN? QUE VEUX-TU... NOUS NE SOMMES PAS DES SAUVAGES, NOUS

TIENS PEAU-ROUGE... AVALE UN PEU D'EAU DE FEU. IL N'Y A PLUS DE CHLORO-FORME! NON!? À TON AISE... ON LA BOIRA À TA SANTÉ!

PEU APRÈS ET VOILÀ "LA CHOSE"...

SENTI-NELLE! DE L'EAU

ARGH!

SIR! LE "BRAVE" GUERRIER VIENT DE TOURNER DE L'ŒIL

26A

J'AURAIS CRU CES PEAUX-ROUGES CENT FOIS PLUS STOÏ-QUES ET CAPABLES D'ENDURER LE PIRE SANS BRONCHER

LÉGENDES QUE TOUT ÇA, TOUBIB! VAS-Y WARD, BALAN-CE-LUI TON SEAU DANS LA FIGURE!

BLANCS PLUS BOUGER SINON...

MAIS SOUDAIN, AVEC UNE PRES-TESSE FUL-GURANTE...

BLOODY HELL!

BLAST IT! CE RASCAL NOUS A POSSÉDÉS

VISAGES PÂLES STUPIDES SI CROIRE HOMME ROUGE COMME SQUAW! PAS CRIER OU MOI TUER TUNIQUE BLEUE ET HOMME-MÉDECINE APRÈS!

AÏIE! MON BRAS!

O.K... CANAILLE! MAIS TU N'IRAS PAS LOIN!

TOI, FERME PORTE!

HEII! C'EST PAS UNE RAISON POUR ME CAS-SER LE BRAS

HEH! UN CHEVAL

ET LA VOIE SEMBLE LIBRE!

AÏÏÏ!!

26B

VISAGE PÂLE VA ÊTRE SATISFAIT !.. BRAS PLUS FAIRE SOUFFRIR !

OUWK!

PAW

L'APACHE... ALERTE! IL S'ÉVADE!

YAARH

ABATTEZ-LE!

LA PORTE!

PAW

C'EST LUI!

ATTENTION! NE RATEZ PAS VOTRE COUP!.. IL FAUT BLESSER LE CHEVAL... PAS LE TUER, QU'IL PUISSE GALOPER ENCORE UN BON MILE !..

Z'EN FAITES PAS SIR !..

PAW

SBLAW

DEMONIOS!

EXCELLENT TIR, THORNTON!.. EXACTEMENT CE QUE JE VOULAIS... VOUS IREZ DIRE AU PALEFRENIER ET A TOUS LES "CADAVRES" QU'ILS PEUVENT SE RELEVER... ET FAITES DÉLIVRER LE TOUBIB... ILS ONT TOUS JOUÉ LEUR RÔLE COMME DE VRAIS ACTEURS !

JE DOIS ATTEINDRE LA PASSE !.. IL LE FAUT !

ET PEU APRÈS A LA PREMIÈRE RUSE DE L'APACHE...

IL NE FAUT PAS ÉVEILLER SA MÉFIANCE... UNE PATROUILLE VA SE LANCER IMMÉDIATEMENT A SA POURSUITE ET ACCEPTER DE PERDRE SA PISTE

HÉ! HÉ !.. ENSUITE SON CHEVAL VA TRÈS VITE S'ABATTRE ET CE SERA UN JEU POUR GOG ET MAGOG DE SUIVRE LA PISTE FRAÎCHE... ...ET SANGLANTE

HÉ, HÉ, HÉ!

BLASTIT!... CES COYOTES OCCUPENT UNE POSITION INEXPUGNABLE!... ET ILS DOIVENT AVOIR DES GUETTEURS!... IMPOSSIBLE DE LANCER UNE ATTAQUE SURPRISE!...

AU CONTRAIRE! MAIS IL VA FALLOIR ATTENDRE LA NUIT POUR AGIR!...

...À PIED ET À LA FAVEUR DE L'OBSCURITÉ, NOUS INVESTIRONS, PAR LE HAUT LES PENTES QUI DOMINENT LE PLATEAU... ILS SERONT COMPLÈTEMENT BLOQUÉS!...

ET LES CHEVAUX!?

LAISSONS-LES ICI SOUS BONNE GARDE!... ASSIÉGÉS SUR TROIS CÔTÉS, ACCULÉS AU PRÉCIPICE, LES NAVAJOS SERONT BIEN FORCÉS DE SE RENDRE.

MMMH...

ASTUCIEUX!... QUE TOUT LE MONDE SE DISSIMULE. NOUS ENTAMERONS L'ENCERCLEMENT DÈS QU'IL FERA NOIR!

...NOUS ATTAQUERONS À L'AUBE!... UN COMBAT DE NUIT SERAIT TROP RISQUÉ...

ET LA NUIT EST VENUE... AU CŒUR DU PUEBLO, RASSURÉS PAR LE CALME, QUI RÈGNE SUR LA SIERRA, LES GUERRIERS SE SONT RÉUNIS AUTOUR DU FEU DE CAMP.

VITTORIO ET LES JEUNES ONT EXIGÉ LA RÉUNION DE CE POW-POW!... QU'ILS PARLENT!...

SUR L'ORDRE DE TSI-NA-PAH, TOUT EST PRÊT POUR UNE FUITE HONTEUSE DEVANT LES TUNIQUES BLEUES!...

C'EST ICI QU'IL FAUT NOUS BATTRE!... VITTORIO A PROUVÉ AUJOURD'HUI MÊME QU'ON POUVAIT VAINCRE LES BLANCS!...

EN TENANT TÊTE VICTORIEUSEMENT PENDANT DIX ANS, À DES MILLIERS DE SOLDATS BLEUS, DANS CES MONTAGNES, COCHISE LUI-MÊME, N'A-T-IL PAS FORCÉ LES BLANCS À DEMANDER LA PAIX?!...

30A

CEPENDANT, BEAUCOUP PLUS HAUT, SUR LES PENTES ABRUPTES ET HÉRISSÉES QUI DOMINENT LE PUEBLO...

LE DIABLE VOUS EMPORTE, HICOCK!... POURQUOI CET ÉNORME DÉTOUR? MES HOMMES VONT ÊTRE CREVÉS.

DU NERF, COLONEL!... NOUS DEVONS LAISSER LEURS SENTINELLES LE PLUS POSSIBLE EN CONTREBAS!

BAH!... TE TRACASSE PAS TROP, BILL!... MES "CHÉRIS" AURAIENT TÔT FAIT DE LES RENIFLER!...

HELL!... J'AI BIEN FAILLI ME RETROUVER EN BAS! ON VOIT RIEN!...

SILENCE, BON DIEU!...

CLASHKK... CHOCHIK! CHHH...

OR, À LA MÊME SECONDE, PLUS HAUT ENCORE DANS LA SIERRA...

DIIII DDDDD

CHASK CHOKOOK...

ATTENTION! LA LUNE VA SORTIR DES NUAGES!...

MAIS...

OOH NON!... C'EST PAS VRAI...

SERGENT! FAITES PASSER! PLUS UN MOUVEMENT TOUT LE MONDE S'APLATIT!...

30B

GIR

TSI-NA-PAH VEUT QUE TOUTE LA TRIBU SE LAISSE GLISSER LE LONG DE LA FALAISE JUSQU'AU FOND DU CANYON, EN... EN PLEINE NUIT?...

IL FAUT QUE JUSQU'À L'AUBE LES TUNIQUES BLEUES CONTINUENT DE NOUS CROIRE ICI!..

...LE TEMPS POUR NOUS DE PRENDRE UN PEU D'AVANCE ET DE LES DÉPISTER... NOUS EMPORTERONS JUSTE LES ARMES ET DE LA NOURRITURE POUR TROIS JOURS.!

TSI-NA-PAH ESPÈRE-T-IL FAIRE DESCENDRE AUSSI LES FEMMES, LES ENFANTS ET LES ANCIENS!?

NOUS LAISSERONS DES CENDRE LES SQUAWS ATTA-CHÉES SOUS LES AISSELLES! LES PAPOOSES ET LES VIEUX DANS DES COUVERTURES COUSUES.!

ET OÙ TROUVERONS-NOUS ASSEZ DE LASSOS??

EN DÉCOUPANT EN LANIÈRES LES PEAUX DES TENTES ET LES VÊTEMENTS DE CUIR!

ET NOS PONIES?.. COMMENT FUIRONS-NOUS, UNE FOIS EN BAS?

C'EST DÉJÀ TROP PARLÉ.! LE PLAN DE TSI-NA-PAH EST LE PLUS SAGE.! QUE TOUS PRÉPARENT ET ASSEMBLENT LES LASSOS, J'AI DIT!

IL FAIT NOIR ET LES TUNIQUES BLEUES QUI NOUS ÉPIENT NE DOIVENT PAS DISTIN-GUER GRAND-CHOSE DE LÀ-HAUT... MAIS...

NOUS DEVRONS LES SACRIFIER!.. MAIS D'AUTRES CHEVAUX NOUS ATTENDENT DANS LE DÉFILÉ! CEUX DES TUNIQUES BLEUES!...

MAIS J'AI ASSEZ PARLÉ! ET LE TEMPS PRESSE! SI QUEL-QU'UN A MIEUX À PRO-POSER, QU'IL LE DISE!

ÇA SUFFIT!..

...MIEUX VAUT LEUR DONNER LE CHANGE AVEC DES CHANTS ET DES DANSES

QU'UNE PARTIE DES GUERRIERS IM-PLORE LE GRAND ESPRIT POUR NOTRE PÉRIL-LEUSE AVEN-TURE.!

ET BIENTÔT

JE DESCENDRAI LE PREMIER AVEC LES VINGT MEIL-LEURS GUERRIERS POUR PROTÉGER LA DESCENTE DU RESTE DE LA TRIBU ET M'EMPARER DES CHEVAUX DES SOLDATS.

VITTORIO IRA AVEC TOI.!

AINSI, CHINI RETROUVERA EN BAS LES PLUMES NÉCESSAIRES À SA ROBE DE MARIAGE.!

NON! JE NE VEUX PAS DE SANG ET VITTORIO L'AIME TROP.! VITTORIO ET LE RESTE DES GUERRIERS QUITTERONT LE PUEBLO LES DERNIERS.! ILS COUVRI-RONT NOTRE DES-CENTE.!

VITTORIO OBÉIRA À TSI-NA-PAH!

CEPENDANT

LES TAM-BOURS.! DAMN! SE DOUTERAIENT-ILS?

ILS NE SOUP-ÇONNENT MÊME PAS NOTRE PRÉSENCE!.. DIFFI-CILE DE DISTINGUER QUELQUE CHOSE DANS CE NOIR...ILS SEMBLENT CÉLÉ-BRER UNE DE LEURS DIABLE-RIES!

CHINI AURAIT PRÉFÉRÉ UNE BOÎTE À MOUDRE LE TEMPS ET UNE ROBE DE SQUAW BLAN-CHE.!

GIR

33A

33B

153

APRÈS LES VIEUX ET LES ENFANTS, C'EST AU TOUR DES SQUAWS D'ÊTRE ÉVACUÉES, SUSPENDUES AUX LASSOS.

MAIS... SOUDAIN...

GOOD LORD !.. UN DES LASSOS A LÂCHÉ...

MORTES TOUTES LES DEUX !... AVEC LE BÉBÉ...

C'ÉTAIENT DE VRAIES SQUAWS APACHES ! ELLES SONT TOMBÉES SANS CRIER, POUR NE PAS ALERTER L'ENNEMI !

VITTORIO ET LES PLUS JEUNES BRAVES DESCENDRONT LES DERNIERS !... MAIS AVANT IL FAUT ÉGORGER LES PONEYS !.. SINON, LES "LONGUES-LAMES" LES UTILISERONT POUR NOUS POURSUIVRE... **SUIVEZ-MOI !**

ET... UNE DEMI-HEURE PLUS TARD...

ENTRE-TEMPS, DANS LE DÉFILÉ QUI MÈNE AU BAS DE LA FALAISE, ET APRÈS UNE RE-CHERCHE BRÈVE ET SILENCIEUSE...

ENFIN, C'EST LE GROS DES GUERRIERS QUI ÉVACUE LE PUEBLO, APRÈS AVOIR BALANCÉ DANS LE VIDE LES BALLOTS CONTENANT VIVRES, VÊTEMENTS ET OBJETS DE PREMIÈRE NÉCESSITÉ.

LES CHEVAUX DES "LONGUES-LAMES" !!!

TOUT VA BIEN !.. IL N'Y A QU'UNE DIZAI-NE DE GARDES ET LES DEUX TIERS DORMENT !.. QUE MES FRÈRES ROUGES S'OC-CUPENT D'EUX, PENDANT QUE JE DÉTOURNE L'ATTENTION DES SENTI-NELLES.

HÉ!.. Y A QUELQU'UN?

QUI VA LÀ?

ALL RIGHT BUDDY!.. APPROCHE!!

AMI!.. MESSAGE DU COLONEL!..

UN CIVIL!? WILD BILL!.. C'EST TOI?

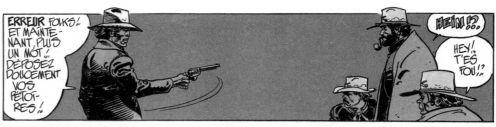

ERREUR FOLKS!.. ET MAINTENANT, PLUS UN MOT!.. DÉPOSEZ DOUCEMENT VOS PÉTOIRES!..

HEIN!?...

HEY!.. T'ES FOU!?

À LA MÊME SECONDE, JAILLISSANT DE L'OBSCURITÉ, LES APACHES ONT BONDI SILENCIEUSEMENT SUR LES DORMEURS.

UN... UN BLANC ALLIÉ À CES CHIENS ROUGES!!..

OOH... BLUEBERRY!! C'EST CE FAMEUX BLUEBERRY QUE NOUS TRAQUONS!..

SOYEZ SAGES ET VOUS GARDEREZ VOS SCALPS... TOUT CE QUE NOUS VOULONS, CE SONT LES CHEVAUX!!

...ET BIENTÔT...

BON, TSI-NA-PAH! CHEVAUX POUR TOUT LE MONDE!!

...ET ILS ONT ENCORE LEURS SABOTS "HABILLÉS" AVEC CHIFFONS

O.K... AMENONS-LES AU PIED DE LA FALAISE

36A

PEU APRÈS, TANDIS QUE DANS LE PUEBLO ABANDONNÉ N'ERRENT PLUS QUE QUELQUES CHIENS HURLANT À LA MORT...

"...ET QUE LES HOMMES DU COLONEL MORTON, SOUS LA GARDE DES MOLOSSES D'EGGSKULL ET DE QUELQUES SENTINELLES, PRENNENT UN BREF REPOS, IGNORANT QU'ILS NE CERNENT PLUS QU'UN REPAIRE VIDE..."

"...MONTÉS SUR LES CHEVAUX DU RÉGIMENT, TOUTE LA TRIBU DE COCHISE FUIT SILENCIEUSEMENT ET RAPIDEMENT DANS LA NUIT.

BAH! IL FAUDRA BIEN DEUX JOURS AUX SOLDATS POUR REGAGNER LE FORT À PIED ET DONNER L'ALERTE SUR TOUTE LA FRONTIÈRE!.. ÇA NOUS LAISSE UNE SÉRIEUSE AVANCE!..

LA ROUTE EST LONGUE D'ICI AU MEXIQUE... LES SQUAWS ET LES PAPOOSES NOUS RETARDENT, ET NOUS ALLONS ÊTRE TRAQUÉS SANS MERCI PAR LES TUNIQUES BLEUES!..

DANS CE CAS, POURQUOI NE PAS PRENDRE LA PISTE LA PLUS COURTE VERS LE RIO GRANDE?..

GIR.
36B

TROIS HEURES APRÈS, AUX PREMIÈRES LUEURS DE L'AUBE...

BLOOD 'ND GUTS!.. RIEN NE BOUGE DANS LE PUEBLO!.. ON DIRAIT QU'IL N'Y A PLUS PERSONNE!

QUOI!

HEIN!?

UNE DEMI-HEURE PLUS TARD...

VIDE! PLUS UN CHAT!...

LES APACHES SE SONT VOLATI-LISÉS!...

PAR ICI! MES CHÉRIS ONT SENTI QUELQUE CHOSE!...

FOUILLEZ PARTOUT!.. C'EST PEUT-ÊTRE UN PIÈGE!...

GOOD LORD!.. QUELLE HORREUR!

BON SANG!.. MAIS POURQUOI...?

CES SAUVAGES ONT MASSACRÉ LEURS PONIES JUSQU'AU DERNIER.

DAMN IT!.. ET... ET NOS PROPRES CHEVAUX!...

SIR! LES IN-DIENS SE SONT ENFUIS PAR LA FALAISE AVEC DES CORDES.

UNE HEURE PLUS TARD...

DAMNATION!.. CES DÉMONS NOUS ONT ROULÉS SUR TOUTE LA LIGNE... CAPITAINE!.. EN RENTRANT, VOUS ME METTREZ TOUTES CES FOUTUES SENTINELLES AU TROU.

CE N'EST PAS NOTRE FAUTE, SIR... BLUEBERRY LES AIDAIT!.. C'EST LUI QUI NOUS A... EUS!

37A

UN VRAI DIABLE HUH, CE BLUE-BERRY?!.. TANT MIEUX!.. ENFIN UN ADVERSAIRE DIGNE DE WILD BILL HICOCK.

CESSE DE FAIRE L'AVANTAGEUX, BILL!.. C'EST TON FOUTU PLAN QUI NOUS A MENÉS LÀ.

EN ROUTE! IL FAUT IMMÉDIA-TEMENT COMMENCER LA POURSUITE!

HEIN?..

LES PEAUX-ROUGES N'ONT JAMAIS QUE QUEL-QUES HEURES D'AVANCE, ILS SONT MOINS NOMBREUX QUE NOUS!.. ET ILS TRAÎ-NENT AVEC EUX DES SQUAWS, DES PAPOO-SES ET DES VIEILLARDS!...

OUAIS!.. MAIS ILS ONT NOS CHEVAUX!.. ET NOS VIVRES!.. ET NOS RÉSERVES DE MUNITIONS!.. ET NOUS SOM-MES À PIED, ÉPUISÉS PAR UNE NUIT BLANCHE... UNE POURSUITE DANS CES CONDITIONS SERAIT UNE FOLIE!...

MIEUX VAUT RENTRER AU FORT SE REÉQUIPER, GÉDÉON... NOUS REPREN-DRONS LA POURSUITE APRÈS!..

JE RESTERAI INVISIBLE... NE TREMBLEZ PAS POUR MON SCALP!.. HIHIHI!.. AVEC GOG ET MAGOG, PAS DE RISQUE D'ÊTRE SUR-PRIS!.. MAIS RAPPLIQUEZ EN VITESSE, JE FLÉCHERAI LA PISTE... VOUS N'AU-REZ QU'À SUIVRE!...

ET COMMENT RETROUVEREZ-VOUS LA PISTE DE CES COYOTES, HEIN?... TANT QU'ELLE EST CHAUDE, MES CHÉRU-BINS PEUVENT LA SUIVRE!..

...ALLEZ AU DIABLE!.. MOI, JE CONTINUE!!

SEUL?!

GÉDÉON!

DAMN IT! O'BANNION REVENEZ! C'EST DU SUICIDE!.. JE VOUS INTERDIS DE...

INUTILE!.. RIEN QUE DE RENIFLER UN INDIEN, CE VIEUX FOU DE-VIENT AUSSI ENRA-GÉ QUE SES CHIENS!.. IL IRAIT JUSQU'EN ENFER.

37B

GIR

PLUS TARD

TSI-NA-PAH EST UN GRAND CHEF DE GUERRE! IL L'A PROUVÉ, LA NUIT DERNIÈRE EN SAUVANT NOTRE PEUPLE UNE FOIS DE PLUS...

CE SERAIT CONTRAIRE À NOTRE LOI!... LE GRAND SACHEM DOIT ÊTRE DE NOTRE RACE!...

UN VISAGE PÂLE NE PEUT COMMANDER EN CHEF NOTRE PEUPLE!...

DAMN! ILS VONT TOUS VOTER POUR CET ENRAGÉ!...

TOUS MES FRÈRES ONT PARLÉ!... LE MOMENT EST VENU DE DÉCIDER! QUE CEUX QUI VEULENT VITTORIO POUR CHEF LÈVENT LA MAIN!...

QUE MES FRÈRES NE SE DÉCIDENT PAS TROP PRÉCIPITAMMENT.

VITTORIO DOIT REMPLACER COCHISE!

VITTORIO EST LE PLUS BRAVE ET LE PLUS AUDACIEUX DE NOUS TOUS!... IL FERA UN TRÈS GRAND CHEF!

C'EST À LUI QUE DOIT REVENIR LE COMMANDEMENT.

LA DÉCISION DU GRAND CONSEIL EST PRESQUE UNANIME! JUSQU'À CE QUE COCHISE PUISSE REPRENDRE SA PLACE À NOTRE TÊTE... C'EST VITTORIO QUI SERA NOTRE GRAND CHEF!... ET QUI DÉSORMAIS COMMANDE NOTRE PEUPLE!...

JE RENDRAI À MON PEUPLE SA GRANDEUR ET SA FIERTÉ!...

YEAH!... YEAH!... YEAH! YEAH!... YEAH!...

C'EST ASSEZ DE TOUJOURS FUIR SANS COMBATTRE!... LA MORT VAUT MIEUX QUE CETTE HONTE CONTINUELLE! NOTRE PEUPLE EST FIER ET COURAGEUX ET TSI-NA-PAH A FAIT DE NOS BRAVES DES LÂCHES ET DES TREMBLEURS!

PAS D'ACCORD! MIEUX VAUT UN PEUPLE LIBRE, EN VIE, ET QUI JOUE L'AVENIR QU'UN CIMETIÈRE DE HÉROS ET D'INNOCENTS!...

TSI-NA-PAH PARLE EN SAGE!...

SAGESSE DE BLANC!... LANGUE FOURCHUE!... CE N'EST PAS POUR NOUS SAUVER QUE TSI-NA-PAH FAIT DE NOUS DES FUYARDS!... C'EST SURTOUT POUR ÉPARGNER LES SIENS ET NE PAS AVOIR, LUI, À LES COMBATTRE.

TSI-NA-PAH EST EN TRAIN DE NOUS VOLER UNE VICTOIRE FACILE ET ÉCRASANTE SUR LES LONGUES-LAMES!... UNE VICTOIRE QUI PROVOQUERAIT LE SOULÈVEMENT DE TOUTES LES NATIONS APACHES ET NOUS RENDRAIT À TOUS NOS TERRES!

ÉCOUTEZ!... MAINTENANT!... IL N'Y A PLUS AU FORT QU'UNE POIGNÉE DE DÉFENSEURS!... GRÂCE À NOS CHEVAUX, NOUS POUVONS ÊTRE LÀ-BAS LARGEMENT AVANT LE RETOUR DES LONGUES-LAMES À PIED!!

NOUS POUVONS FACILEMENT NOUS EMPARER DU FORT... NOUS Y DISSIMULER, Y ATTENDRE L'ARRIVÉE DES TUNIQUES BLEUES HARASSÉES ET SANS MÉFIANCE, ET LES MASSACRER JUSQU'AU DERNIER!...

BLOODY HELL!...

C'EST DONC ÇA QUE CE RATTLE-SNAKE COMPLOTAIT À L'ARRIÈRE AVEC LES JEUNES "DURS" DE LA TRIBU !..

...AU FORT, IL Y A ASSEZ D'ARMES ET DE POUDRE POUR ARMER TOUS NOS FRÈRES APACHES !..

?!

LES HOMMES ROUGES SONT MES FRÈRES DEPUIS PLUS DE DEUX ANNÉES !.. JE LES EMPÊCHERAI DE COMMETTRE CETTE FOLIE... MÊME SI JE DOIS GALOPER JUSQU'AU FORT POUR...

AH AH AH !

...PAS SI TU NOUS PRÉCÈDES AVEC QUELQUES GUERRIERS DÉGUISÉS EN TUNIQUES BLEUES !..

JAMAIS !... QUAND IL M'A DEMANDÉ DE L'AIDER À SAUVER SON PEUPLE, COCHISE M'A DONNÉ SA PAROLE QUE JAMAIS JE N'AURAIS À FAIRE COULER LE SANG DES MIENS !..

QUOI !?

HAAA ! TSI-NA-PAH VIENT DE RÉVÉLER SA DUPLICITÉ !..

C'EST DE LA FOLIE !... MÊME PEU NOMBREUSE, LA GARDE DU FORT EST EN MESURE DE RÉSISTER SOLIDEMENT !..

N'ÉCOUTEZ PAS CE FOU !... MÊME SI VOUS TRIOMPHEZ PENDANT QUELQUES LUNES, TOUTE L'ARMÉE DES VISAGES PÂLES ACCOURRA CONTRE VOUS !.. ET TOUT FINIRA DANS UN EFFROYABLE BAIN DE SANG !..

ET VOILÀ LE CHEF DE GUERRE DE LA VAILLANTE NATION APACHE : UNE SQUAW QUI S'ÉVANOUIT À LA VUE DU SANG.

40A

CE N'EST QU'UN BLANC FOURBE, UN COEUR DE CHIEN !... NOUS L'AVONS SAUVÉ ET IL EST PRÊT À NOUS TRAHIR POUR GAGNER LE PARDON DES SIENS ! SAISISSEZ-LE !

TRAITRE ! À MORT !...

COYOTE !

À MORT !

LANGUE FOURCHUE

ESPÈCE DE...

ARGH !

SALAUD !....

CEPENDANT

HÉ, HÉ, HÉ !!! PAS DE DOUTE !.. VOUS AVEZ RETROUVÉ LA PISTE DE CES RATS, MES CHÉRUBINS ! ALLEZ ! AH !... ILS NE CONNAISSENT PAS LE VIEIL EGGSKULL !!!

TSI-NA-PAH A OSÉ FRAPPER LE NOUVEAU CHEF DES APACHES !.. IL VA REGRETTER DE NE PAS AVOIR ÉTÉ MASSACRÉ SUR PLACE POUR ÇA !..

VITTORIO ! LES ÉCLAIREURS ENVOYÉS PAR TSI-NA-PAH REVIENNENT

40B

159

NOTRE PEUPLE N'EST PLUS EN DANGER !... LES LONGUES-LAMES RETOURNENT VERS LE FORT !... À PIED !

ILS SE TRAÎNENT COMME DE MISÉRABLES ESCARGOTS !...

NOUS SERONS AU FORT AVANT EUX !... LA VICTOIRE EST SÛRE !... QUE TOUS LES GUERRIERS PRÉPARENT LEURS MONTURES ET LEURS ARMES !... NOUS PARTONS !!!...

UN INSTANT PLUS TARD...

CHINI AURA BIENTÔT TOUTES LES MACHINES À MOUDRE LE TEMPS QU'ELLE VOUDRA... ELLE NE PEUT PLUS REFUSER D'ÉPOUSER VITTORIO... MAINTENANT QU'IL EST LE CHEF !...

VITTORIO OUBLIE COCHISE !...

COCHISE NE POURRA SANS DOUTE PLUS JAMAIS COMMANDER, ET VITTORIO SERA BIENTÔT LE CHEF DE TOUTE LA NATION APACHE !...

QUE VAS-TU FAIRE DE TSI-NA-PAH ?... COCHISE N'AURAIT JAMAIS PERMIS QU'IL SOIT TRAITÉ AINSI !...

C'EST VRAI !... IL NOUS A TOUS SAUVÉS !... IL NE DOIT PAS MOURIR !...

SI VITTORIO TOUCHE À UN CHEVEU DE TSI-NA-PAH, JAMAIS CHINI NE SERA SON ÉPOUSE !... COCHISE L'INTERDIRAIT !...

TSI-NA-PAH EST UN TRAÎTRE !... MAIS SI CHINI JURE D'ÊTRE À VITTORIO, IL ÉPARGNERA TSI-NA-PAH ET SE CONTENTERA DE L'ABANDONNER DANS LA SIERRA... VITTORIO DONNE SA PAROLE !...

ALORS, CHINI SERA LA FEMME DE VITTORIO !

LA PROMESSE DE CHINI DOUBLERA LA VAILLANCE DE VITTORIO !... CHINI PORTE-T-ELLE LE CADEAU QUE VITTORIO A RAMENÉ DU FORT ?

LE VOICI !... VITTORIO LE VEUT-IL POUR SE BATTRE ?...

NON ! QUE CHINI LE GARDE !... C'EST À ELLE QUE VITTORIO CONFIE LA CHARGE DE VEILLER SUR LES SQUAWS, LES ANCIENS ET LES PAPOOSES DE LA TRIBU !...

LES LONGUES-LAMES DU FORT SONT ENCORE TROP NOMBREUSES !... POUR LES ÉCRASER, VITTORIO A BESOIN DE TOUS LES HOMMES CAPABLES DE PORTER UNE ARME... CHINI DEVRA CONDUIRE LE RESTE DE LA TRIBU SUR LA MESA DU CHEVAL MORT !

SEULE !!!...

C'EST UNE RETRAITE ABSOLUMENT SÛRE, FACILE À DÉFENDRE !... CHINI SAURA AGIR EN VRAIE FEMME DE CHEF !... D'AILLEURS, LA TRIBU NE COURT PLUS AUCUN DANGER...

...LES LONGUES-LAMES FUIENT VERS LE FORT... À PIED...

EN AVANT !... HOOKA HEY !!!

AVANT TROIS JOURS, VITTORIO ET SES BRAVES LES AURONT MASSACRÉS JUSQU'AU DERNIER HOMME !... ET AVANT QUE LA LUNE SOIT PLEINE, IL N'Y AURA PLUS UN VISAGE PÂLE VIVANT D'ICI AU RIO COLORADO !...

FEL-AY-TAY ! DÉTACHE DIX ÉCLAIREURS POUR ÉPIER LES LONGUES-LAMES SANS SE FAIRE VOIR... QU'ILS NOUS REN- SEIGNENT HEURE PAR HEURE SUR LE RETOUR DES SOLDATS VERS LE FORT...

CEPENDANT... JE SUIS AFFREUSE- MENT INQUIET... IL RESTE À PEINE TRENTE HOM- MES AU FORT, TOUBIB ET CUI- SINIERS COMPRIS !... HELL !... HOWARD... FAITES PRES- SER L'ALLURE !... ON N'AVANCE PAS !...

LES HOMMES ONT LES PIEDS EN SANG, SIR !... LES BOTTES DE CAVALERIE NE SONT PAS FAITES POUR MARCHER

NE VOUS TRACASSEZ PAS, MORTON !... LES APACHES SONT EN TRAIN DE FUIR... TROP HEUREUX DE NOUS AVOIR SEMÉS !

HALTE !... C'EST ICI QUE NOUS ABAN- DONNERONS TSI-NA-PAH !...

"... QUE MES BRAVES LE PENDENT PAR LES PIEDS À CET ARBRE !... SANS LE DÉLIER !...

L'ABAN- DONNER ICI !... C'EST LE TUER !...

VITTORIO A POURTANT JURÉ DE LIBÉ- RER TSI- NA-PAH...

POUR QU'IL COURE ALERTER LES LONGUES-LAMES ET FASSE ÉCHOUER NO- TRE ATTAQUE CONTRE LE FORT... VITTORIO A SEULEMENT PROMIS DE L'ABANDONNER VIVANT !... QU'ON LE PENDE !...

ET, UN QUART D'HEURE PLUS TARD...

TSI-NA-PAH N'ÉTAIT QU'UNE LAN- GUE FOURCHUE !... LES HOMMES ROUGES NE SUIVRONT PLUS SA PISTE... ASSEZ PERDU DE TEMPS !... EN AVANT !...

AU MÊME INSTANT

COCHISE ! IL OUVRE LES YEUX !...

PÈRE !

CH... CHINI... OÙ OÙ EST TSI- NA-PAH ?... V... VITTORIO...

EN PEU DE MOTS, CHINI A MIS LE VIEUX CHEF AU COURANT

MES GUERRIERS ONT PERDU L'ESPRIT ?... IL FAUT ARRÊTER CE FOU DE VITTORIO !...

IL... IL NE RÉUSSIRA QU'À ATTIRER LA MORT ET LA RUINE SUR TOUTE LA NATION APACHE !... TSI- NA-PAH A RAISON... IL FAUT LE RETROUVER !... EMPÊCHER ÇA !... À... À TOUT PRIX... MAIS... MAIS... QUI ?...

MOI PÈRE !...

GIR

163

ET... UN INSTANT PLUS TARD...

COURAGE, CHINI !... TIENS BON !... TU VAS ÊTRE SECOURUE ! JE LE JURE... MÊME SI C'EST MA VIE CONTRE LA TIENNE !... SI JE SAUVE LE FORT, ILS NE POURRONT PAS ME REFUSER ÇA !... ADIEU !...

MES CHÉRUBINS !... IL FAUT QUE JE LES RÉCUPÈRE D'ABORD !...

LES HEURES ONT PASSÉ... ET À LA TOMBÉE DU SOIR

LE FORT !...

UN DE NOS ÉCLAIREURS VIENT DE REVENIR, VITTORIO !... LES TUNIQUES BLEUES NE SERONT PAS LÀ AVANT DEMAIN À L'HEURE DU ZÉNITH !...

CHINI ATTENDRE TSI-NA-PAH... POUR MOURIR !...

CETTE NUIT, NOUS APPROCHERONS EN RANG, COMME LES LONGUES-LAMES, ET PRÉCÉDÉS DE QUELQUES GUERRIERS VÊTUS COMME LES SOLDATS !... DANS LE NOIR, ÇA TROMPERA LES SENTINELLES... ILS OUVRIRONT...

..."ET ALORS !..."

CEPENDANT VITTORIO N'A GUÈRE QUE TROIS HEURES D'AVANCE, ET IL A DÛ MÉNAGER SES CHEVAUX !... IL ME RESTE UNE CHANCE, S'IL ATTEND L'OBSCURITÉ ET SI JE PARVIENS À L'ÉVITER !

AU MÊME INSTANT

LÀ ! LA COLONNE ! CES PENDARDS SONT EN TRAIN DE S'INSTALLER POUR LA NUIT...

DAMN ! C'EST EGGSKULL !

OÙ DIABLE A-T-IL DÉNICHÉ UNE MONTURE !...

DEBOUT ! EN ROUTE !... VITE ! LES ROUGES SONT EN TRAIN D'ATTAQUER FORT BOWIE !...

GÉDÉON ?...

QUOI !? OOOH ! BLOOD'ND GUTS !...

LES FEMMES !!.. LES GOSSES !... BON SANG !... IL FAUT FONCER À MARCHE FORCÉE !... DUSSIONS-NOUS CREVER D'ÉPUISEMENT !...

RASSEMBLEMENT !... NOUS PARTONS !

PLUS TARD...

J'ARRIVE À TEMPS !... VITTORIO N'A PAS ENCORE ATTAQUÉ !... IL N'EST SÛREMENT PAS LOIN, À ATTENDRE QUE LA LUNE SE CACHE !...

LÀ !... UN CAVALIER !

C'EST... C'EST TSI-NA-PAH !...

QUOI !? PAR QUELLE MAGIE S'EST-IL ÉCHAPPÉ !? FEU ! FEU ! TUEZ-LE !...

TOUTE LA NUIT, C'EST L'ENFER AUTOUR DE FORT BOWIE SANS RÉPIT, VITTORIO LANCE SES GUERRIERS EN ASSAUTS FURIEUX CONTRE L'ENCEINTE... MAIS L'ÉLAN DÉSORDONNÉ DES APACHES SE BRISE CONTRE LA FROIDE RÉSOLUTION DES DÉFENSEURS GALVANISÉS PAR BLUEBERRY...

BOOM

À L'AUBE...

?!.

VITTORIO! ALERTE! LES LONGUES-LAMES APPROCHENT!.. ELLES SONT À MOINS D'UNE HEURE!..

ET BIENTÔT.

ILS SE REGROUPENT!.. ILS FUIENT VERS LA SIERRA!..

ÉCOUTEZ! AU LOIN!.. UN CLAIRON! IL SONNE LA CHARGE!.. LES NÔTRES ARRIVENT!..

REGARDEZ! LES APACHES LÂCHENT PIED!..

GOOD LORD!.. NOUS SOMMES SAUVÉS.

47A

UN QUART D'HEURE PLUS TARD, LA COLONNE DE CAVALERIE, MORTE DE FATIGUE, MAIS PRÊTE À SE BATTRE, DÉBOUCHE EN VUE DE FORT BOWIE!.. TROP TARD... LES APACHES DE VITTORIO ONT DISPARU.

DIEU SOIT LOUÉ! LE FORT EST SAUF!.. NOUS ARRIVONS À TEMPS!..

OUAIS! ET DANS QUEL ÉTAT!..

MAIS DÉJÀ, BLUEBERRY S'EST ESQUIVÉ...

AH ÇA!.. QUI ÊTES-VOUS?

LIEUTENANT BLUEBERRY! ÇA VOUS DIT, DOC!? ÉCOUTEZ! SI VOUS ÊTES TOUS ENCORE EN VIE, C'EST GRÂCE À UNE JEUNE INDIENNE QUI AGONISE À QUELQUES HEURES DE CHEVAL... PRENEZ VOTRE TROUSSE!.. NOUS Y ALLONS!..

AVEC LA SIERRA PLEINE D'APACHES!.. VOUS ÊTES CINGLÉ!..

AVEC MOI, VOUS NE CRAIGNEZ RIEN! DOC! NE ME FORCEZ PAS À VOUS TUER!..

VOUS NON PLUS BLUE-BERRY!

JETEZ VOTRE ARME!

O.K. JE ME RENDS!.. JE SAVAIS QUE ÇA FINIRAIT AINSI!.. MAIS BON SANG, TÂCHEZ DE PERSUADER LE TOUBIB!..

VOUS ME DEVEZ BIEN LA VIE DE CETTE INDIENNE, NON?..

C'EST VRAI!.. JE VOUS LE PROMETS

LE GRAND BARBU CONNAÎT L'ENDROIT!.. MERCI!.. ET MAINTENANT, OFFREZ-MOI UN LIT!.. UN VRAI!.. AH!.. DORMIR! DORMIR!

CHB

GIR

PROCHAIN ÉPISODE: LA LONGUE MARCHE

166

171

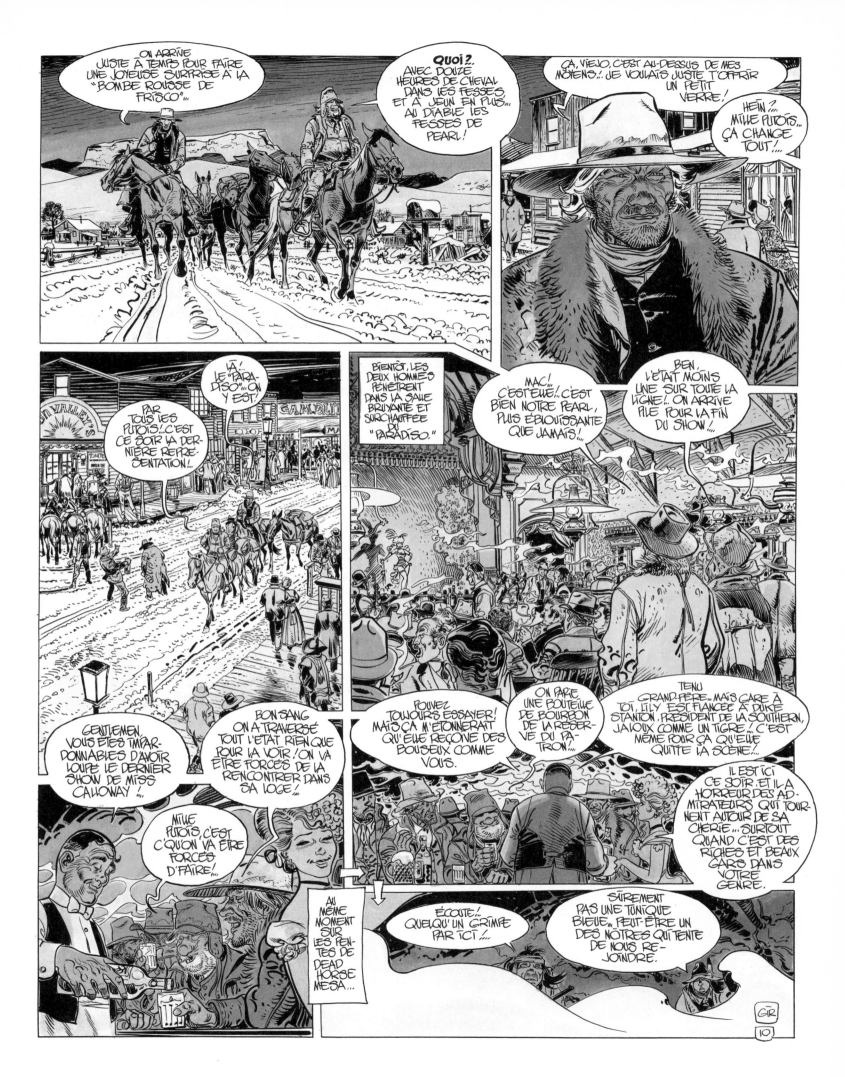

180

185

188

RATTRA- PEZ LE PRI- SONNIER!

HEY!! QU'EST- CE QUI VA PAS, MES CHERIS?... Y A QUAND MÊME PAS D'INDIENS DANS CE...

WARF WARF!

RRRRR...

IL FAUT À TOUT PRIX LE...

...

LES INDIENS !!

BON DIEU! BOYLE!

SOUDAIN JAILLIS DES MOINDRES REPLIS DE TERRAIN AUTOUR DU "TRADING POST" LES NAVAJOS DE VITORIO FONT GRELER FLÈCHES ET BALLES SUR LES CAVALIERS DÉMONTÉS ET TOTALEMENT SUR- PRIS PAR CETTE ATTAQUE...

EN ARRIÈRE!... TOUS À L'INTÉRIEUR DU TRADING POST! BARRICADEZ LES ISSUES ET FEU À VOLONTÉ!

PAW

MAIS, TANDIS QUE LES SOLDATS TENTENT DE SE RÉFUGIER DANS LE BARAQUEMENT POUR ÉCHAP- PER AU TIR MEURTRIER DES NAVAJOS...

LES CHEVAUX!... RAFLEZ LES CHE- VAUX MAIN- TENANT!...

PAW PAW

ET, QUELQUES SECONDES PLUS TARD, AUSSI VITE QU'ILS ONT SURGI, LES INDIENS BATTENT EN RETRAITE SOUS LE FEU DÉSORDONNÉ DES SOLDATS RETRANCHÉS DANS LE TRADING POST.

VITTORIO!... C'EST CE DÉMON DE VITTORIO!... MES CHIENS NE S'ÉTAIENT PAS TROMPÉS!

BON SANG!... D'OÙ SORTENT-ILS?... PAS POSSIBLE QU'ILS SOIENT LÀ PAR HASARD, JUSTE À L'INSTANT OÙ BLUEBERRY S'ÉCHAPPE!...

SIR!... LE LIEUTENANT BOYLE EST MORT!...

NOS MONTURES!... ILS LES ONT TOUTES VOLÉES!... FEU!... FEU!... ILS SE REPLIENT!...

EN ARRIÈRE!... DEMI-TOUR!... ROMPEZ LE COMBAT!...

CHINI DOIT ÊTRE SATISFAITE, MAINTENANT!... TSI-NA-FAH EST LIBRE!...

YAAH!

IL FAUT ENCORE LE REJOINDRE!... NOUS AVONS BESOIN DE LUI!...

D'UN BOND LÉGER CHINI SAUTE EN CROUPE DU CHEVAL DE VITTORIO.

CEPENDANT DANS LE TRADING POST

CESSEZ LE FEU! NOM D'UN CHIEN!... LES NAVAJOS SONT HORS DE PORTÉE!... ILS N'EN VOULAIENT QU'À NOS CHEVAUX!...

ERREUR, LIEUTENANT, C'EST BLUEBERRY QU'ILS CHERCHAIENT... MAIS ILS ONT FAIT COUP DOUBLE... ILS DEVAIENT NOUS SUIVRE DEPUIS FORT BOWIE

GOG ET MAGOG N'ONT PAS CESSÉ D'ÊTRE NERVEUX!... ÇA AURAIT DÛ ME METTRE LA PUCE À L'OREILLE!... HI HI HI!

ET ÇA TE FAIT RIRE?...

HÉ, HÉ, VA FALLOIR QUE LE GOUVERNEMENT NOUS ALLONGE À NOUVEAU DIX MILLE DOLLARS!...

LE PRINTEMPS EST ENCORE LOIN !.. SI NOUS NE DÉLIVRONS PAS COCHISE ET LES AUTRES MAINTENANT, ILS MOURRONT TOUS DE FROID ET DE FAIM !..

TSI-NA-PAH EST LIBRE DE FUIR AU MEXIQUE TOUT SEUL, S'IL NE PEUT NOUS AIDER... LES NAVAJOS NE LE RETIENDRONT PAS !...

OK, OK... VOUS AVEZ GAGNÉ !.. PAS LA PEINE D'ESSAYER DE M'ARRACHER DES LARMES

HUGH !.. À CHEVAL !.. MARCHONS DROIT AU NORD !.. VERS LA RÉSERVE DE SAN CARLOS

PAS QUESTION, VITTORIO !!!

L'ARMÉE DE MILLER CELLE QUI VOUS AS- SIÉGEAIT À DEAD HORSE MESA VOUS ATTEND SÛREMENT LÀ-BAS !..

BLUEBERRY ET SES PEAUX-ROUGES SONT TERRÉS ICI, QUELQUE PART ENTRE TUCSON ET FORT BOWIE... LES "LITTLE DRAGOON MOUNTAINS" AU NORD, ET LA VOIE DU "SOUTH PACIFIC RAILROAD" AU SUD... UN SECTEUR QUI COUVRE PAS LOIN DE 200 MILES CARRÉS, ET QU'IL VA FALLOIR TRANSFORMER EN UNE SOURICIÈRE ABSOLUMENT **HER-MÉ-TI-QUE !**

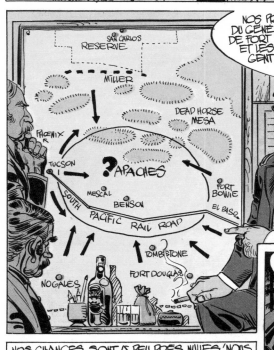

NOS PROPRES TROUPES, LA MOITIÉ DE CELLES DU GÉNÉRAL MILLER LES DÉTACHEMENTS PARTIS DE FORT DOUGLAS, DE NOGALES, D'EL PASO ET LES RENFORTS DE PHOENIX CONVER- GENT VERS CETTE ZONE POUR LA CERNER TOTALEMENT !...

D'ICI QUELQUES HEURES, SITÔT LEUR JONCTION FAITE NOTRE PIÈGE SERA VERROUIL- LÉ !... IL SUFFIRA DE RÉTRÉ- CIR PEU À PEU LE CERCLE... MÊME UN LIÈVRE NE POUR- RA EN SORTIR SANS SE FAIRE REPÉRER !.. GENTLEMEN ! **C'EST COMME SI NOUS TENIONS DÉJÀ CES RASCALS !...**

SI ENCORE NOUS AVIONS DES CHEVAUX EN NOMBRE SUFFISANT... NOUS POURRIONS TENTER DE LES PRENDRE DE VITESSE !...

NOS CHANCES SONT À PEU PRÈS NULLES !.. NOUS SOMMES AU CENTRE D'UNE NASSE QUI DOIT DÉJÀ SE REFERMER SUR NOUS !...

TENTONS DE FORCER UN PASSAGE EN COMBAT- TANT...

ILS SERONT TROP NOMBREUX, VITTORIO !.. TOUTES LES GARNISONS DE LA RÉGION ONT DÛ ÊTRE ALERTÉES !..

TSI-NA-PAH VEUT-IL FAIRE COM- PRENDRE À SES FRÈRES ROUGES QU'ILS N'ONT PLUS QU'À SE RENDRE OU À MOURIR EN BRAVES !..

HUMM... IL RESTE PEUT- ÊTRE UN ESPOIR... MAIS, BIEN MINCE !..

BOUGEZ PAS, VOUS DEUX, SINON, MES CHÉRIS VOUS ÉGORGENT!.. HIHIHI!.. J'T'AVAIS BIEN DIT, WILD BILL, QU'À DÉFAUT DES PUTOIS ROUGES, GOG ET MAGOG NOUS MÈNERAIENT AU MOINS JUSQU'À CES DEUX-LÀ!.

DAMN IT!

ÇA M'ÉTONNERAIT QU'ILS NE SACHENT PAS OÙ REJOINDRE L'AUTRE RAT, APRÈS AVOIR SI BIEN ORGANISÉ SON ÉVASION!..

HELL!!.. BLUEBERRY N'EST PAS AVEC EUX!..

QU..QUE VOULEZ-VOUS = DIRE?.. V..VOUS ÊTES CINGLÉ OU QUOI!?

= DE QUI PARLE?..JE COMPRENDS PAS UN TRAÎTRE MOT DE...

PAS LA PEINE DE JOUER LES IDIOTS!..C'EST VOUS QUI AVEZ FOURNI L'APPALOOSA À BLUEBERRY! VOUS ÊTES SES COMPLICES ET CEUX DES NAVAJOS QUI ONT TUÉ LE LIEUTENANT BOYLE!

HÎ HÎ!. ET VOUS S'REZ PENDUS POUR ÇA!..

HÉHÉHÉÍ!.. RICHE IDÉE D'AVOIR PISTÉ CES DEUX COYOTES!..CE VIEIL EGGSKULL SAVAIT QU'ILS DEVAIENT CONTINUER À TRAÎNAILLER DANS LE COIN!..

HEU.. DITES.. MISTER HICKOCK!.. HM...

C'EST VRAI QU'ON A AIDÉ UN PETIT PEU MIKE, MAIS ON A ÉTÉ AUSSI SURPRIS QUE VOUS PAR L'ARRIVÉE DES NAVAJOS... PAROLE! C'ÉTAIT PAS PRÉVU DU TOUT!..

AH OUAIS!?.

NON! PAS P..PRÉVU DU T..TOUT!

AU MOINS ÇA NOUS AURA PROCURÉ DES CHEVAUX!.. J'EN AVAIS MARRE D'ALLER À PIED!..

DAMNÉ MENTEUR!.. JE VAIS TE FAIRE CRACHER LA VÉRITÉ, MOI.. MÊME SI JE DOIS TE DÉCOUPER EN PETITS MORCEAUX COMME UNE FICHUE CARCASSE DE BISON...

ÇA SUFFIT, GÉDÉON.. DU CALME!..

ARGH! MILLE PUTOIS!.. GGARGH!

ENTRE-TEMPS, À BENSON

DUKE!? VOUS ICI? JE PARIE QUE C'EST ENCORE VOTRE MAUDITE JALOUSIE QUI VOUS A AMENÉ JUSQU'ICI..À FOUINER DANS MA VIE PRIVÉE!..

JALOUSIE JUSTIFIÉE, MA CHÈRE! VOTRE PRÉTENDU ENGAGEMENT ICI N'ÉTAIT QU'UN MENSONGE ÉHONTÉ DONT IL FAUDRA BIEN D'AILLEURS RENDRE COMPTE! MAIS CE SONT DES MOTIFS PLUS SÉRIEUX QUI M'ONT FAIT ACCOURIR...

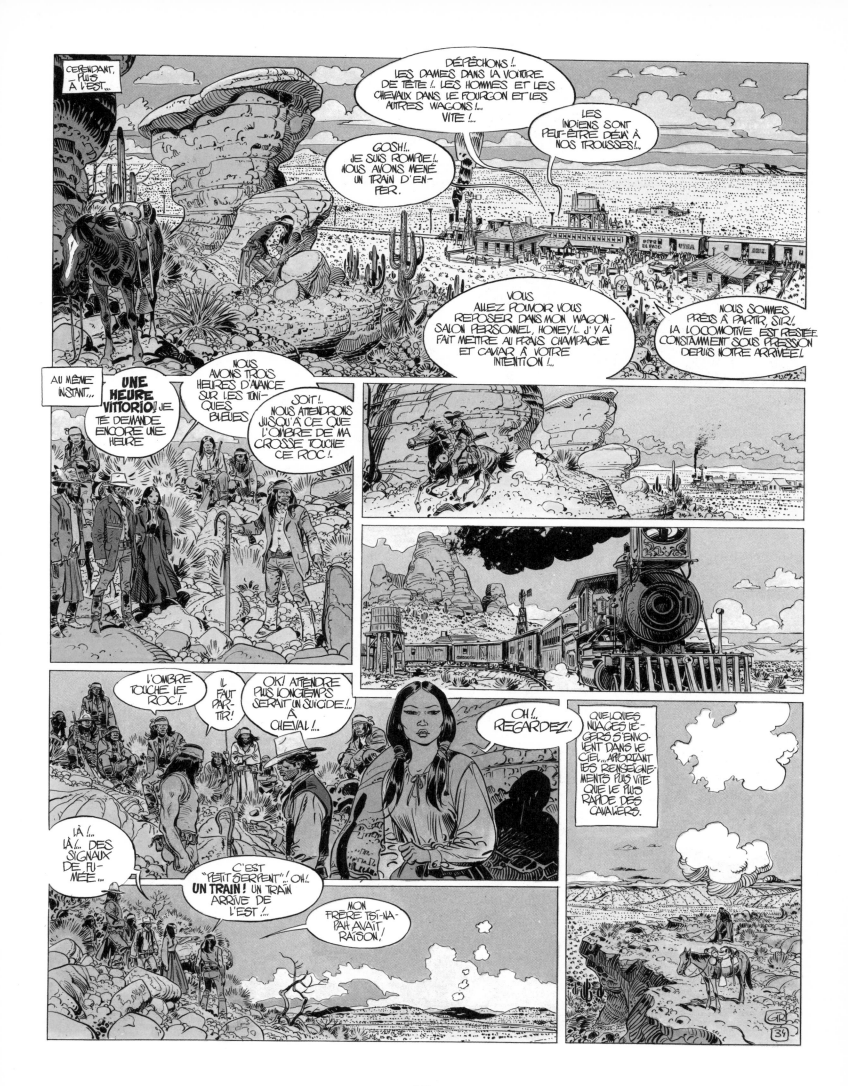

LES SIGNAUX DISENT BEAUCOUP DE VISAGES PÂLES !.. BEAUCOUP DE FUSILS !.. LE DOUBLE DE NOUS !.. ET CINQ CENTS TUNIQUES BLEUES ARRIVENT AUSSI PAR LÀ !..

NOUS SOMMES PERDUS !

MMH... PEUT-ÊTRE PAS !...

CEPENDANT...

ET... ET SI LES INDIENS COU-PAIENT LA VOIE ET NOUS ATTAQUAIENT !.

EH BIEN NOUS REBROUSSE-RIONS CHEMIN JUS-QU'À EL PASO !.

AUCUN DANGER, MISS... TROP NOMBREUX ET TROP BIEN ARMÉS !..

TSI-NA-PAH SAIT QUOI FAIRE ?...

BLUFFER !.. JE VAIS TENTER DE BATTRE UN POKER D'AS AVEC UNE SIMPLE PAIRE !.. VITTORIO !.. IL ME FAUT TOUTES LES RÉSERVES DE POU-DRE QUI NOUS RESTENT !..

HEY !.. TSI-NA-PAH TRÈS BON AU POKER

EN CAS DE BESOIN HONEY, NOUS POURRIONS TENIR DES HEURES RETRANCHÉS DANS CE TRAIN...

...SANS PROBLÈME !.. ET ÇA PERMETTRAIT MÊME AUX RENFORTS QUI MONTENT DE LA FRONTIÈRE DE PRENDRE À REVERS LES PEAUX-ROUGES AINSI RETENUS PAR NOUS... AH/AH!.

À UNE DIZAINE DE MILES PLUS À L'OUEST, BLUEBERRY S'AF-FAIRE À UNE ÉTRANGE BESOGNE : VERSER DE MINCES TRAÎNÉES DE POUDRE AU FOND D'ÉTROITS ET LONGS SILLONS, PARTANT PERPENDICULAIRE-MENT DE LA VOIE FERRÉE, TOUS LES DIX MÈTRES

APRÈS QUOI, IL BOUR-RE AVEC LE RESTE DE L'EXPLOSIF UN FOUR-NEAU DE MINE CREUSÉ SOUS UNE TRAVERSE À L'EXTRÉMITÉ DU PREMIER SILLON DE SON ÉTRANGE DIS-POSITIF.

TASSEZ DES CAILLOUX POUR CACHER CE TROU !.. IL FAUT LE RENDRE INVISIBLE... VITE !....

TSI-NA-PAH EST IMPRUDENT !.. IL VA TOUT JUSTE NOUS RES-TER DE QUOI TIRER QUELQUES CAR-TOUCHES !..

MAIS SOUDAIN...

LE SIGNAL !.. **LE CHEVAL DE FER !..** IL ARRIVE !..

VITTORIO ! QUE LES GUERRIERS SE PLACENT COM-ME CONVENU... MAINTENANT, IL VA FALLOIR JOUER SERRÉ !..

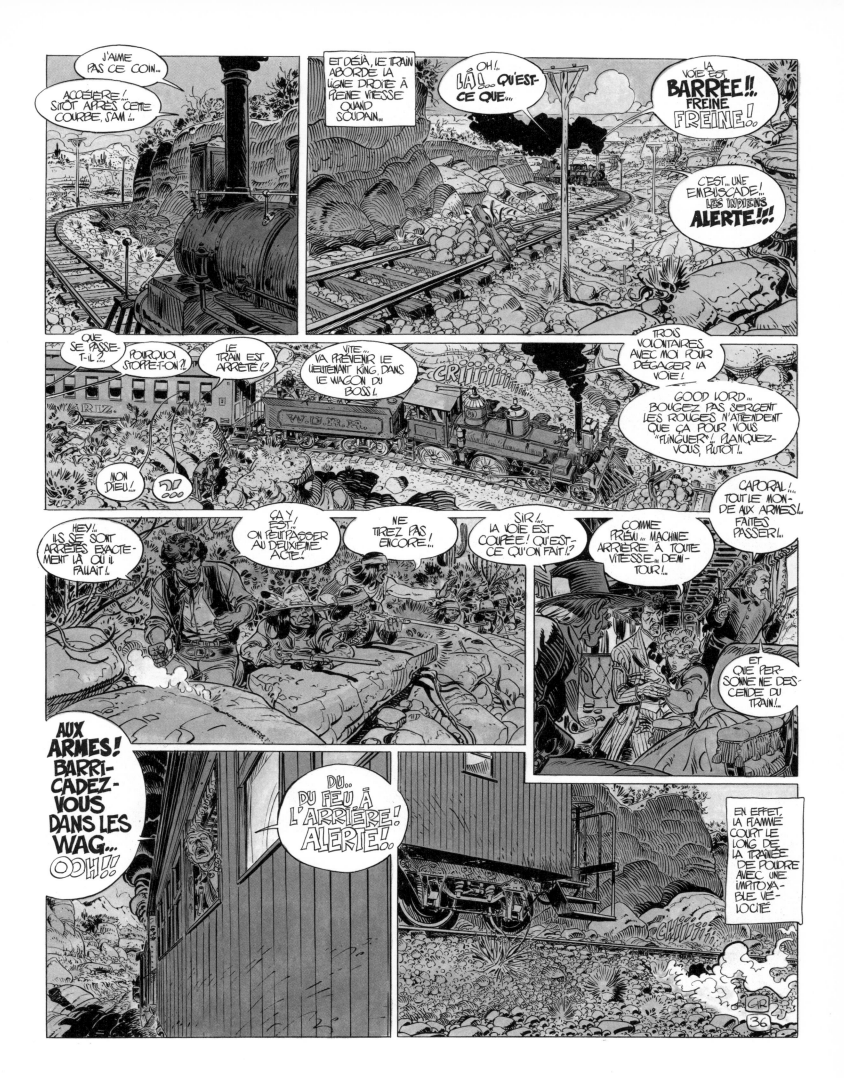

RIEN SI TU OBÉIS !... EN ROUTE, L'AMI ! LA VOIE EST DÉGAGÉE !... NOUS REPARTONS ! À TOUTE VAPEUR !...

QUE QU'AVEZ VOUS ME FAIRE !...

BLAM !

HELL ! LA CAVA-LERIE !

PAW

BLAM

MAIS C'EST EN VAIN QUE LES CAVALIERS BLEUS—UN DÉTACHE-MENT VENU DU SUD—CHARGENT VENTRE À TERRE VERS LE TRAIN CAPTURÉ... PESAMMENT, LE CONVOI S'EST ÉBRANLÉ PUIS SALUÉ PAR UNE GRÊLE DE BALLES, A PRIS DE LA VITESSE.

GOOD LORD ! UNE MINUTE DE PLUS ET C'ÉTAIT LE DÉSASTRE !...

PAW

HALTE !
INUTILE DE CREVER NOS CHEVAUX !... NOUS NE RAT-TRAPERONS PLUS CES DÉMONS !...

BAH ! À PRÉSENT, TOUTE LA RÉGION EST ENCERCLÉE, SIR ! PAS UN DE CES COYOTES N'EN SORTIRA !...

ERREUR, PHILBY !... SEUL CE TRAIN PEUT FRANCHIR NOS LIGNES SANS DIFFICULTÉS !... IL EST CENSÉ ÉVACUER LES RÉFUGIÉS DE FORT BENSON !... ET PAS UN DES NÔTRES N'IMAGINERA QUE CE SONT LES NAVAJOS QUI... HEY ! À MOINS QUE... LE TÉLÉGRAPHE !

MAIS LE CHEF DES CAVA-LIERS OUBLIE QUE BLUE-BERRY N'EST PAS UN INDIEN IGNORANT L'USAGE DES FILS QUI CHANTENT...

BLAW BLAW

CEPENDANT

HEY ! VOILÀ LA VOIE DU SOUTHERN PACIFIC RAILROAD !... Y A PLUS QU'À SUIVRE LES RAILS VERS TUCSON... C'EST BIEN LE DIABLE SI ON TOMBE PAS SUR UN DÉTA-CHEMENT DE L'ARMÉE !...

J'AI... J'AI LES PIEDS EN CHARPIE !... MILLE PUTOIS !... JE REFUSE DE FAIRE UN PAS DE PLUS !...

HIHI ! GOG ET MAGOG VONT TE FAIRE CHANGER D'AVIS, RASCAL ! KSS KSS ! À L'ATTAQUE MES CHÉRIS !...

210

211

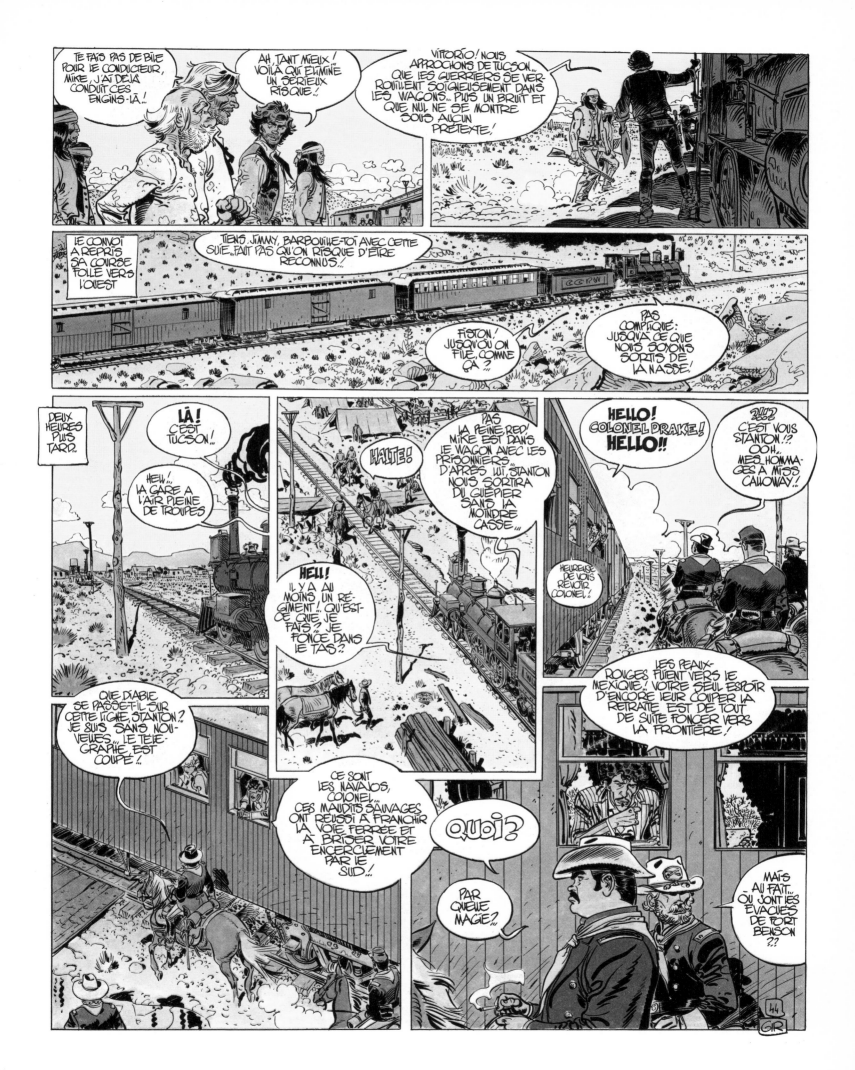

214

FIN DE L'ÉPISODE

Merci à Christian Marmonier, Brieg Haslé-Le Gall,
Patrick Gaumer et Gilles Ratier.

www.dargaud.com